VERSAILLES

Le palais du roi Louis XIV

VERSAILLES
Le palais du roi Louis XIV
est une publication de Sélection du Reader's Digest

Réalisé par Copyright

Conception graphique : Dorothée de Monfreid
Maquette : Jacqueline Leymarie
Infographie : Andréa Le Naour
Coordination éditoriale : Julie Pinon et Marion Giraud

Avec la collaboration de l'équipe éditoriale de Sélection du Reader's Digest
Direction éditoriale : Gérard Chenuet
Responsable de l'ouvrage : Philippe Leclerc
Lecture-correction : Béatrice Omer
Couverture : Dominique Charliat, Colman Cohen
Fabrication : Frédéric Pecqueux

Première édition

ISBN 2-7098-1099-9

Achevé d'imprimer : septembre 1999
Dépôt légal en France : octobre 1999
Dépôt légal en Belgique : D-1999-0621-63
Imprimé en Espagne
Printed in Spain

VERSAILLES

Le palais du roi Louis XIV

Joël Cornette

PARIS • BRUXELLES • MONTRÉAL • ZURICH

Le château de la démesure (1682-1671) 120

Des ombres sur le Soleil (1701-1715) 176

Versailles, miroir du Grand Siècle : galerie de portraits

Versailles s'identifie aux métamorphoses, au destin, à la vie officielle et secrète de la monarchie. Le château fut l'instrument de la grandeur du prince et il se visite comme on feuilletterait les pages du livre d'images de l'absolutisme, mais aussi de l'art du Grand Siècle.

Anne d'Autriche.

Louis XIII.

Ce fut d'abord un simple relais de chasse voulu par Louis XIII (1601-1643). Ce souverain mélancolique et misanthrope, établit, loin de la cour, en fréquentant de plus en plus souvent ce refuge au milieu des forêts, une distance, un écart entre la noblesse et le roi. Louis XIV (1638-1715), son fils, en fit le château de ses passions de jeunesse : « L'amour de Mme de La Vallière, qui fut d'abord un mystère, écrit Saint-Simon, donna lieu à de fréquentes promenades à Versailles. » Les femmes de cœur furent ainsi les héroïnes secrètes des fêtes et des divertissements des années 1660-1670 : la douce Mlle de La Vallière (1644-1710), la belle et altière Mme de Montespan (1641-1707). Il y eut même, de 1679 à 1681, ce coup de foudre aussi inattendu que passager pour Mlle de Fontanges (1661-1681), « ce digne présent des cieux » au dire de La Fontaine. Avant que « l'amie », Mme de Maintenon (1635-1719), n'inaugure un autre règne, d'austérité et de grande rigueur, suscitant autour d'elle bien des frustrations, bien des jalousies, comme celle de la princesse Palatine (1652-1722), l'épouse allemande de Monsieur, le frère du roi : « La vieille ripotée, écrit-elle dans une lettre de juin 1692, a un effrayant pouvoir; elle n'est pas si folle que de se faire déclarer reine, elle connaît trop bien l'humeur de son homme... »

Au rythme des séjours de plus en plus fréquents du roi et de sa famille – la reine mère, Anne d'Autriche (1601-1666), sa femme, Marie-Thérèse d'Autriche (1638-1683), son frère, le duc d'Orléans (1640-1701)... –, le château est peu à peu devenu le cœur de l'État royal, avant que le souverain ne décide, en mai 1682, de s'y installer définitivement. Versailles désormais vit au rythme des journées ritualisées du souverain. « Roi partout, roi dans tous les moments, qui tenait tout en crainte et en haleine », écrit Saint-Simon (1675-1755), l'un des observa-

La famille royale

Anne d'Autriche (1601-1666), épouse de Louis XIII et régente (1643-1651) pendant la minorité de Louis XIV, son fils.

Louis XIII (1601-1643), roi de France (1610-1643), père de Louis XIV, créateur du premier Versailles.

Louis XIV (1638-1715), fils de Louis XIII et d'Anne d'Autriche, roi de France de 1643 à 1715.

Marie-Thérèse d'Autriche (1638-1683), épouse de Louis XIV.

Marie-Adélaïde de Savoie, duchesse de Bourgogne (1685-1712), épouse de Monseigneur, petit-fils de Louis XIV.

Louis XIV.

Marie-Thérèse d'Autriche.

La duchesse de Bourgogne.

Mlle de La Vallière.

Mme de Montespan.

Mlle de Fontanges.

teurs les plus lucides et les plus critiques du règne. « C'est une vie de couvent ! » se lamente la princesse Palatine. Et Mme de Maintenon confie dans une de ses lettres, qu'« avant d'être à la cour, je n'avais jamais connu l'ennui; mais j'en ai bien tâté depuis. » « On joue, on bâille, on s'ennuie, on s'envie et on se déchire », écrit-elle encore le 17 juillet 1701...

Le château n'a cessé tout au long du règne – et même après – d'être un grand chantier : on oublie trop souvent qu'il brilla tout encombré des matériaux, des ouvriers, des échafaudages que réclamèrent sans cesse sa construction, son entretien et les changements de goût : « Il n'y a pas un endroit à Versailles, écrit la princesse Palatine, qui n'ait été modifié dix fois. »

Plusieurs générations de bâtisseurs se succédèrent à Versailles. La première fut l'équipe de Vaux, que Louis XIV confisqua après l'arrestation, le 5 septembre 1661, de Nicolas Fouquet (1615-1680), le surintendant au destin malheureux : Louis Le Vau (1612-1670), l'architecte, Charles Le Brun (1619-1690), le peintre, André Le Nôtre (1613-1700), le paysagiste, La Quintinie (1626-1688), le jardinier. Mais aussi les pâtissiers, les maîtres de ballet, les musiciens, les dramaturges – dont Molière (1622-1673) –, sans oublier les frères Francine, ingénieurs en hydraulique qui avaient créé les miroirs d'eau et les fontaines de Vaux. Les seuls serviteurs des arts qui n'abandonnèrent pas leur maître furent le sculpteur Pierre Puget (1620-1694), qui finit ses jours sur les chantiers navals de Toulon, et le fabuliste La Fontaine (1621-1695), le poète aimable, mélancolique et discret,

Mme de Maintenon.

Le duc de Bourgogne, petit-fils de Louis XIV (1682-1712).

Charlotte-Élisabeth de Bavière, princesse Palatine, duchesse d'Orléans (1652-1722), observatrice acerbe de la cour.

LES DAMES DE CŒUR

Louise de la Baume Le Blanc, duchesse de La Vallière (1644-1710), favorite de Louis XIV, en Diane chasseresse.

Françoise-Athénaïs de Rochechouart, marquise de Montespan (1640-1707), maîtresse de Louis XIV.

Marie-Angélique de Scoraille de Roussille, duchesse de Fontanges (1661-1681), favorite de Louis XIV.

Françoise d'Aubigné, marquise de Maintenon (1635-1719), seconde épouse de Louis XIV.

Le duc de Bourgogne.

La princesse Palatine.

amoureux des fables d'Ésope, nourri de toute la culture vive de l'Antiquité et de la Renaissance.

Arrêtons-nous un instant sur le destin des trois hommes dont l'accord donna à Versailles son unité : Le Vau, Le Brun, Le Nôtre.

Louis Le Vau commença à travailler pour Versailles en 1661. Ce fut la dernière grande affaire de sa vie. À cette date, en effet, ce fils d'un maître maçon qui édifia sa fortune dans la construction de l'île Saint-Louis était déjà un homme riche et âgé pour son siècle. Ce spéculateur immobilier, financier, concepteur de multiples hôtels particuliers, de châteaux et de résidences de campagne pour une clientèle de nobles, d'officiers et de financiers, connut sa plus célèbre réussite, avant Versailles, avec Vaux, réalisé pour Fouquet : le château et son magnifique parc à terrasses firent l'admiration des contemporains et de Louis XIV lui-même, qui s'empressa d'engager l'architecte dès l'arrestation du surintendant. Louis Le Vau était à la tête d'une véritable entreprise, s'entourant de collaborateurs fidèles comme le dessinateur François D'Orbay (1634-1697). Ce dernier a participé à la conception nouvelle de la façade de Versailles : pierre blanche, succession des ordres, colonnes, toits en terrasses, horizontalité. Louis Le Vau, qui a laissé sa marque au Louvre, aux Tuileries, au collège des Quatre-Nations (l'actuel Institut), à Vaux, mourut avant d'avoir vu ses plans se réaliser à Versailles.

Omniprésence, omnipotence, puissance de travail : si le talent de Charles Le Brun est immense, son habileté à gérer sa carrière le fut tout autant. Il exerça sous la protection du chancelier Séguier (1588-1672), qui l'accompagna toute sa vie, mais aussi sous celle de Richelieu (1585-1642), de Fouquet, de Mazarin (1602-1661). Surtout, il devint le maître d'œuvre de la décoration des maisons royales. Sa phénoménale puissance de travail explique aussi comment le même homme a pu enseigner à l'Académie royale de peinture et de sculpture, qu'il contribua à créer (en 1648), devenir un théoricien de la physiognomonie (l'art de connaître les hommes d'après leur physionomie), dessiner des projets de tapisseries à la manufacture des Gobelins, qu'il dirigea, suivre le roi

Charles le Brun.

Les créateurs du Versailles de Louis XIV

Charles Le Brun (1619-1690), premier peintre du roi.

André Le Nôtre (1613-1700), dessinateur de jardins.

Louis Le Vau (1612-1670), architecte du roi.

André Le Nôtre.

Louis Le Vau.

Hyacinthe Rigaud.

dans ses campagnes militaires, superviser la fabrication de l'image du roi, avec Colbert (1619-1683)... Et peindre, peindre sans relâche : à Versailles, on lui doit en particulier le programme iconographique des Grands Appartements et de la galerie des Glaces.

La personnalité d'André Le Nôtre, dont la longue vie se confond avec le siècle, est particulièrement attachante : tous les contemporains ont vanté son heureux caractère, sa bonhomie, sa générosité. Son intelligence aussi, discrète autant qu'efficace. La « manière » de Le Nôtre s'identifie en grande partie à l'art classique appliqué au domaine végétal, mais aussi à la grande révolution intellectuelle du XVIIe siècle, celle qui soumet tout à un principe de raison, ici mathématique et géométrique, imprimé à la science pratique de la perspective. Saint-Simon, dans ses *Mémoires*, se montre particulièrement aimable à son égard : « Le Nostre, écrit-il, mourut après avoir vécu quatre-vingt-huit ans dans une santé parfaite, sa tête et toute la justesse et le bon goût de sa capacité ; illustre pour avoir le premier donné les divers desseins de ces beaux jardins qui décorent la France, et qui ont tellement effacé la réputation de ceux d'Italie. » Le Nôtre, ajoute-t-il, avait une probité, une exactitude et une droiture qui le faisaient estimer et aimer de tout le monde.

Un mois avant sa mort, le roi, qui aimait le voir et le faire parler, le mena dans ses jardins et, à cause de son grand âge, le fit mettre dans une chaise que des porteurs roulaient à côté de la sienne. Le Nôtre alors s'écria : « Ah ! mon pauvre père, si tu vivais et que tu pusses voir un pauvre jardinier comme moi, ton fils, se promener en chaise à côté du plus grand roi du monde, rien ne manquerait à ma joie... »

Grâce à tous ces créateurs, l'austère pavillon de chasse de Louis XIII est devenu une énorme entreprise à la gloire de « Louis le Grand », car il ne s'agissait pas seulement pour Louis XIV de détenir la réalité du pouvoir, il lui fallait aussi l'apparence, la représentation de ce pouvoir : le prestige royal, dont Versailles est le plus éclatant témoignage, fut un instrument, et non le moins puissant, de la définition et du fonctionnement de l'absolutisme. En effet, l'entreprise de propagande dont Colbert puis

LES ADMINISTRATEURS

Jean-Baptiste Colbert (1619-1683), surintendant des Bâtiments (1664), contrôleur des Finances (1665), secrétaire d'État à la Maison du roi (1668) et à la Marine (1669).

Charles Perrault (1628-1703), écrivain et secrétaire de Colbert.

François Michel Le Tellier, marquis de Louvois (1639-1691), secrétaire d'État à la Guerre (1662), ministre des Affaires étrangères (1672-1689), surintendant des Bâtiments du roi (1683).

LES ARTISTES DE VERSAILLES

Jules Hardouin-Mansart (1646-1708), architecte et surintendant des Bâtiments du roi.

Hyacinthe Rigaud (1659-1743), portraitiste.

Jules Hardouin-Mansart.

Jean-Baptiste Colbert.

Charles Perrault.

Le marquis de Louvois.

Philippe Quinault.

Molière.

Louvois (1639-1691) furent les maîtres d'œuvre se cristallisa sur l'image du roi. Cette propagande royale, instrument politique de domination, ne fut jamais aussi manifeste qu'au temps de Louis XIV. Parallèlement à une censure renforcée, le roi encouragea la mise en place d'un véritable mécénat d'État : subventionnés par le pouvoir, encadrés par un réseau d'académies et de publications à la solde du gouvernement, Corneille (1606-1684), Molière, Racine (1639-1699), Boileau (1636-1711), et avec eux bien d'autres créateurs, placèrent ainsi leur talent au service de la propagande monarchique.

Colbert fait figure de « ministre de l'image » par l'importance des fonctions qu'il assuma dans ce domaine : il fut nommé surintendant des Bâtiments à partir de 1664, il supervisa l'Académie royale de peinture et de sculpture (fondée en 1648), l'Académie de France à Rome, fondée en 1666, l'Académie d'architecture en 1671, l'Imprimerie royale, les ateliers du Louvre, la manufacture des Gobelins (1662), l'Académie des sciences (1666), la « Petite Académie » (1663), qui se réunissait pour élaborer et discuter les programmes de représentation du roi. Aussi, au début des années 1670, Colbert était-il en mesure de mettre en place un véritable « département ministériel de la gloire », caractérisé par un partage et une spécialisation des charges assumées par des fidèles du ministre : Jean Chapelain (1595-1674) pour la littérature, Charles Le Brun pour la peinture et la sculpture, Claude Perrault (1613-1688) et son frère Charles (1628-1703) pour l'architecture, Jean-Baptiste Lully (1632-1687) pour la musique (ce dernier bénéficiait toutefois d'une totale indépendance vis-à-vis de Colbert).

Sollicité en 1662 par Colbert, Jean Chapelain dressa un recensement des gens de lettres susceptibles d'être pensionnés : la liste enregistra quatre-vingt-dix noms. La distribution de subsides commença en 1664, à la fin de l'été : trente-huit écrivains touchèrent alors des subventions. Elles furent accordées de manière solennelle, en présence du roi; chaque écrivain recevait son dû dans une bourse de cuir brodée. Ce système de gratifications fonctionna jusqu'en 1690. À cette date, le budget de la guerre avait dévoré les crédits assignés à la propagande du roi, déjà fortement diminués depuis 1674 en raison des dépenses de la guerre de Hollande (1672-1679).

Nous ne devons pas juger ce mécénat d'État selon nos propres critères et valeurs, en concluant à une aliénation des écrivains et des créateurs : en effet, l'indépendance de la création n'était pas concevable dans la société du XVIIe siècle,

Lully.

Racine.

Philippe Quinault (1635-1688), créateur de la tragédie lyrique.

Molière (1622-1673).

Jean-Baptiste Lully (1632-1687), surintendant de la Musique.

Jean Racine (1639-1699).

Les grands témoins de Versailles

Jean de La Fontaine (1621-1695), fabuliste.

Jacques Benigne Bossuet (1627-1704), prélat, prédicateur et écrivain, précepteur du Dauphin.

François de Salignac de La Mothe-Fénelon (1651-1715), archevêque de Cambrai, précepteur du petit-fils du roi.

Marie de Rabutin-Chantal, marquise de Sévigné (1626-1696), témoin des transformations de Versailles.

Philippe de Courcillon, marquis de Dangeau (1638-1720), et Louis de Rouvroy, duc de Saint-Simon (1675-1755), deux des mémorialistes de Versailles.

La Fontaine.

Bossuet.

Fénelon.

car chaque artiste et savant devait alors s'assurer du soutien financier d'un protecteur (un grand, un ministre, un prélat...). Aussi, servir le roi apparaissait comme un honneur et une faveur. Le paradoxe est qu'en visant à contrôler le système de création, Colbert et Louvois apportèrent aux lettrés et aux scientifiques une légitimation sociale accrue et, sans doute, dans leur métier, une plus grande liberté stimulante : Molière aurait-il pu écrire et faire jouer *Tartuffe* sans la protection du roi ? Au grand scandale du parti dévot, les premiers actes furent présentés en mai 1664, à Versailles, lors de la fête des Plaisirs de l'île enchantée. Versailles fut ainsi, selon la volonté même du roi, un espace d'innovation et de liberté.

Car, en définitive, c'est bien Louis XIV le véritable créateur de Versailles : c'est lui qui décide, contre tous les avis, notamment celui de Colbert, de conserver le château de Louis XIII lors des premiers agrandissements de Versailles en 1669 ; c'est lui encore qui demande à Molière de concevoir *les Amants magnifiques*, présentés lors du carnaval de 1670, premier essai de « théâtre total », une œuvre-clef qui tient à elle seule les destinées du ballet de cour (qui va en mourir), de la comédie, de l'opéra (qui va en naître) ; c'est Louis XIV toujours qui choisit la plupart des sujets des opéras de Quinault et de Lully ; c'est le souverain aussi qui impose les plans du Grand Trianon, construit en quelques mois en 1687...

Versailles, tout Versailles, fut bien l'œuvre de Louis XIV, une création continue, en métamorphose incessante au long du règne, un espace entièrement consacré à la gloire du souverain, ce « désir de gloire » qui transparaît dans la plupart des pages de ses *Mémoires*. Versailles fut un décor de théâtre « construit en dur » pour abriter la représentation permanente du spectacle de la monarchie, un spectacle dont Louis le Grand, « le plus grand roi du monde », comme il aimait s'appeler, artiste de l'État absolu, fut le principal metteur en scène et acteur.

La marquise de Sévigné.

Dangeau.

Saint-Simon.

Chambord, le premier « château absolu »

Chambord, voulu par François Ier au début du XVIe siècle, préfigure Versailles. Ce château est la réalisation d'un rêve de pouvoir : la couronne de pierre d'un monarque chasseur et mécène, glorifié comme un « second César », reflet terrestre du Roi des cieux.

Malgré Versailles, Louis XIV aima Chambord : pour les plaisirs de la chasse, pour les plaisirs de la fête (Molière y créa *Monsieur de Pourceaugnac et le Bourgeois gentilhomme*). Le Roi-Soleil affectionna aussi Chambord parce que ce château, dans sa démesure, manifestait bien l'idéal de pouvoir qu'il prétendait incarner. Roi humaniste, prince de la Renaissance, François Ier (1515-1547) a voulu, en effet, comme le fera plus tard Louis XIV, « faire éclater aux yeux de tous la splendeur de la puissance royale » (Bossuet), en transformant un palais en un manifeste architectural de l'État absolu.

Portrait de François Ier par Joos Van Cleve. Le souverain participe activement à la conception des plans de Chambord.

La conception et la réalisation de Chambord sont entourées de bien des mystères : il n'existe pas de plan d'origine et, faute de documents, on ignore tout, comme pour nombre de châteaux de la Renaissance, de l'identité des architectes, sans doute italiens. Léonard de Vinci aurait peut-être participé à l'élaboration puisque les dispositions les plus audacieuses du château – le plan en croix du donjon, la position centrale de l'escalier, le système à double révolution de la vis – y ont toutes des précédents dans ses dessins.

Pourtant, si intervention italienne il y eut, elle n'empêche nullement Chambord de demeurer une construction bien française : l'énorme donjon à quatre

Élément essentiel de ce château-théâtre, la grande façade de Chambord accentue l'apparence d'architecture spectacle d'un pouvoir incomparable. La façade, longue de 156 mètres, soulignée par une grande allée, met en scène l'axe de symétrie, la lanterne, avec un réseau d'allées convergeant vers le château.

tours, les parties hautes ornées reprennent, en les développant de manière démesurée, véritablement royale, des motifs traditionnels, qu'on pourrait qualifier de médiévaux ou de gothiques. Les idées italiennes les plus novatrices et les formes françaises les plus « nationales » se trouvent ainsi associées, imbriquées dans cette extraordinaire création où s'accomplissent les aspirations de la première Renaissance et les rêves de démesure d'un jeune roi.

Les travaux ont débuté le 6 septembre 1519. Quatre ans furent nécessaires aux terrassiers et aux maçons pour creuser les fondations : le terrain en effet était instable et marécageux.

Le plan de l'édifice est celui d'un château fort de plaine, très voisin, par exemple, de celui de Vincennes, dominé lui aussi par un énorme donjon. À Chambord, ce donjon, de proportions réellement colossales, constitue à lui seul le château presque entier. C'est un écrasant cube de pierre d'environ 45 mètres de côté, flanqué de quatre puissantes tours d'angle et traversé par deux vestibules au croisement desquels est située la double hélice d'un escalier central. Six niveaux habitables ont été

conçus, les niveaux supérieurs étant d'un volume plus réduit, et huit appartements par niveau : ces quarante-huit appartements, à l'usage de la cour, donnent au château de Chambord la structure d'un immeuble collectif pour gentilshommes, un caractère que Versailles développera avec démesure par les grandes ailes sud et nord construites dans les années 1680.

Les proportions de ce plan ont été calculées avec un souci de symétrie et d'harmonie que l'on retrouvera à Versailles et inhabituel dans l'architecture française du Moyen Âge : un signe, encore, d'une influence italienne. En particulier, l'idée – de Léonard de Vinci ? – de situer au cœur du donjon une vis formée de deux escaliers enroulés autour d'un puits de lumière, le tout surmonté d'une fleur de lis, se révèle d'une grande

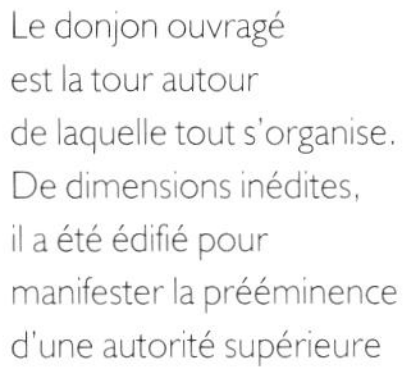

Le donjon ouvragé est la tour autour de laquelle tout s'organise. De dimensions inédites, il a été édifié pour manifester la prééminence d'une autorité supérieure

à toute autre. Un escalier à double vis en constitue l'axe central ; deux spirales parallèles s'enroulent autour d'un noyau creux, suggérant l'image d'un mouvement incessant, perpétuel, dont le roi serait le moteur.

Comme à Versailles, la fonction initiale du château de Chambord fut celle d'un relais de chasse.

Les proportions de Chambord ont pour but de transmettre l'idée d'une autorité surpuissante ; la couronne fermée de l'empire se retrouve à de multiples reprises sculptée sur les grandes voûtes à caissons des appartements, et les multiples losanges des portes contiennent soit des F couronnés, soit des semis de flammes en forme de lis, avec en leur centre une salamandre couronnée à l'impériale.

À Chambord, l'essentiel du décor est reporté dans les œuvres hautes ; les combles, fort élevés, sont hérissés de lucarnes à plusieurs étages, de cheminées monumentales, de tourelles d'escalier, le tout orné et donnant à l'édifice un couronnement d'une incomparable splendeur.

audace et sans précédent en France. Les concepteurs se sont aussi sans doute souvenus du modèle romain du Belvédère de Bramante pour la réalisation de la double vis de Chambord, en logeant celle-ci dans une cage à claire-voie.

Le donjon offre la particularité d'être couvert de vastes terrasses correspondant aux salles en croix. On ne peut que reconnaître l'œuvre d'un artiste étranger dans la composition de la lanterne et des autres motifs d'architecture des superstructures, dont tous les éléments sont à l'antique, et où la pierre blanche est incrustée de losanges et de disques d'ardoise imitant le jeu des marbres polychromes sur les monuments italiens. À l'opposé de cet italianisme antiquisant, la multiplicité des clochetons, des tourelles, des cheminées accentue le caractère médiéval de la silhouette d'ensemble. Chambord se présente bien comme la pièce maîtresse d'un mode de collaboration entre artistes italiens et français, qui paraît propre à ce début du XVIe siècle.

François Ier prit une part décisive dans l'élaboration d'ensemble : comme, plus tard, Louis XIV à Versailles, le roi bâtisseur fut, semble-t-il, très présent lors des principales étapes de la construction de ce gigantesque relais de chasse, car la fonction première du château était de recevoir le souverain et sa cour pour de grandes parties de chasse au cerf avec chiens courants. Des architectes lui présentaient des maquettes (Domenico da Cortona, connu en France sous le nom de Boccador, fut l'un d'entre eux) et le souverain est intervenu sans cesse dans l'évolution du chantier.

Tout ici est conçu pour dire le pouvoir, manifester la puissance. Chambord est bien la traduction visuelle d'une volonté politique, le manifeste de pierre de l'aspiration des rois de France à une autorité absolue. Plus encore que Chambord, le palais de Versailles fut lui aussi l'instrument de la grandeur du prince. Il constitue d'une certaine manière le livre d'images et de pierre de l'absolutisme. Mais avant d'ouvrir ce grand livre, il nous faut visiter Versailles avant Versailles, quand ce lieu n'était encore qu'un village comme beaucoup d'autres.

Page de droite : de part et d'autre du donjon, deux ailes ont été édifiées après le retour de captivité du souverain, en 1526. L'une abrite la chapelle (aile occidentale) et l'autre le logis royal. Elles sont toutes deux agrémentées d'un escalier à vis, comme ici l'escalier François-Ier menant aux appartements royaux.

1560-1661
Versailles avant Versailles

Représentation des mois et maisons royales, avril à Versailles.
Tapisserie des Gobelins, d'après Charles Le Brun.

Versailles : un village et une seigneurie de l'Île-de-France

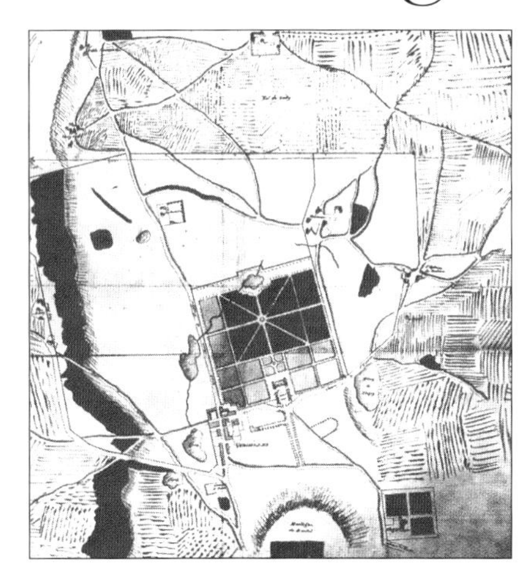

Ce plan du premier Versailles de Louis XIV révèle la modestie du domaine primitif constitué au temps de Louis XIII.

Au siècle de la Renaissance, à l'époque du faste provisoire de Chambord, Versailles n'est pas encore entré dans l'histoire. C'est alors un modeste village, édifié au milieu d'un vallon. Il se situait à l'emplacement du Grand Commun et de l'aile du Midi du château actuel.

À l'époque de Louis XIII, le village de Versailles ne se différenciait guère des autres villages d'Île-de-France. Il était néanmoins le siège d'une seigneurie rassemblant une cinquantaine de feux.

Saint-Simon, qui détestait Versailles, écrira, beaucoup plus tard, qu'il s'agissait d'un lieu « sans vue, sans bois, sans eau, sans terre, parce que tout y est sable mouvant et marécage, sans air par conséquent qui n'y peut être bon ». Versailles « est le plus triste et le plus ingrat de tous les lieux », écrira-t-il encore. Non sans exagération !

Le village de Versailles comportait en effet une église de campagne, un château féodal passablement délabré, un prieuré sans moines, un ou deux moulins à vent et deux cents à trois cents habitants.

Les Versaillais du siècle de la Renaissance étaient pour l'essentiel des artisans, « charpentiers de la grande cognée », maçons, forgerons, tailleurs d'habits ou couturiers. Beaucoup aussi étaient des paysans : laboureurs, brassiers, journaliers... La plupart habitaient de modestes demeures et cultivaient des parcelles de quelques arpents (1 arpent équivalent à 40 ares environ), dispersées sur le terroir du village.

Une route traversait Versailles, venant de Dreux, empruntée par les marchands de bestiaux normands conduisant leurs troupeaux vers la capitale : on l'appelait volontiers le chemin aux bœufs. On ne trouvait pas moins de trois auberges à Versailles, qui attestaient l'activité économique du village : l'Écu de France, l'Image Saint-Antoine, l'Image Notre-Dame. « Le carrefour » était le centre de la paroisse et le lieu où les sergents du seigneur se plaçaient pour faire entendre leurs proclamations. Tout à côté se

De nombreux pâturages occupaient les fonds humides du terroir de Versailles : les prairies, proches des étangs (grand étang de Versailles, étang de Clagny), accueillaient des marchés recherchés pour leur herbe, dont on nourrissait le bétail.

dressaient les fourches patibulaires : elles indiquaient que le maître du lieu était aussi le juge. Plusieurs hameaux dépendaient du village de Versailles. Tous furent détruits pour la construction et le nivellement du parc du château : Porchefontaine, possession des célestins de Paris, Montreuil au Val de Galie, siège d'une prévôté, résidence d'un tabellion (notaire), Clagny, Glatigny, Satory... Un peu au-delà, vers l'ouest, on trouvait Trianon-la-Ville, avec des masures de paysans et une petite église rurale. Le terroir de Versailles était aussi le siège d'une seigneurie. Vers 1550, elle appartenait à un certain Philippe Colas. Ce dernier avait dû faire face à un conflit avec les officiers royaux et s'était vu saisir son droit de justice. Finalement, la terre et la seigneurie de Versailles furent vendues pour 18 000 livres à M. Sébastien Le Roy, qui agissait au nom de M. Martial de Loménie, conseiller du roi et secrétaire de ses finances. L'arrivée de ce nouveau seigneur inquiéta les habitants, notamment parce qu'il était huguenot. Mais, contre toute attente, Martial de Loménie manifesta une attention particulière aux habitants de sa seigneurie, leur octroyant un marché tous les jeudis et quatre foires par an. Dans les années 1560, le nouveau seigneur s'attacha à augmenter la propriété qu'il venait d'acheter : parcelle après parcelle, il allait se constituer un important domaine enveloppant le village de Versailles. En 1572, la seigneurie comprenait, en propriété directe, 183 arpents de terres labourables, vignes, prés, pâtures, bois, taillis, et quatre étangs.

La population de Versailles, d'origine paysanne, cultivait des céréales mais aussi un peu de vigne et des arbres fruitiers.

Proche du roi de Navarre, Martial de Loménie de Brienne fut une des victimes de la Saint-Barthélemy en août 1572. Le 19 mars 1575, la terre et la seigneurie de Versailles, saisies sur ses enfants mineurs et sa femme, furent adjugées au prix de 35 000 livres à Albert de Gondi, baron de Retz, maréchal de France. Celui-ci ne s'installa pas dans sa nouvelle seigneurie : il se borna à entretenir très légèrement le château et poursuivit la politique d'achat de terres entamée par M. de Loménie : lui et son fils, Jean-François de Gondi, archevêque de Paris, acquirent 170 arpents, doublant presque ainsi la propriété.

Non loin de Versailles, le village de Clagny posséda lui aussi son château au milieu de la plaine du val de Galie. Coïncidence ou non, la structure des bâtiments rappelle étrangement celle du château de Versailles.

Lorsque Louis XIII vint bâtir Versailles, au début des années 1620, le domaine de la seigneurie mesurait plus de 120 hectares.

1564-1565

L'État nomade

En décidant de s'installer à Versailles en 1682, Louis XIV opère une double révolution : la monarchie abandonne Paris, la capitale; elle se fixe et cesse d'être itinérante. Cette révolution est le signe le plus spectaculaire d'une métamorphose de l'État royal.

Jusqu'à Louis XIV, la cour est encore itinérante : le pouvoir royal est faible; il doit faire face à de multiples révoltes et mécontentements. Pour s'imposer, le souverain doit se montrer.

Ce nomadisme fut particulièrement important pendant les troubles des guerres de Religion qui ensanglantèrent le royaume dans la seconde moitié du XVIe siècle (1562-1598). Ainsi, pour tenter d'apaiser les passions religieuses opposant catholiques et protestants, pour affermir le pouvoir central, et après avoir fait proclamer Charles IX majeur (le roi est donc majeur à 13 ans), Catherine de Médicis entreprit une grande tournée dans les provinces, entre janvier 1564 et mai 1566. La reine souhaitait profiter d'une période de calme relatif pour présenter le royaume à son fils, lui « apprendre son devoir », renforcer la cohésion des territoires autour de la personne visible du roi.

Ce « tour de France » de Charles IX illustre le nomadisme du pouvoir central que traduit bien la multiplicité

L'itinérance de la cour royale fut l'une des caractéristiques du pouvoir monarchique avant que Louis XIV ne la sédentarise. Ici, la reine Catherine de Médicis quittant le château d'Anet avec sa cour dans les années 1560.

Tout comme celui de Blois, le château d'Amboise fut un lieu de résidence privilégié de la cour, du XVe au début du XVIe siècle.

des lieux de résidence du roi : les châteaux du Val de Loire (Amboise et Blois, tout particulièrement), les châteaux autour de Paris et dans les vallées de la Seine, de l'Oise et de l'Aisne, ensuite (Fontainebleau, Saint-Germain, Compiègne et Villers-Cotterêts). Henri IV et Louis XIII furent, eux aussi, des souverains très mobiles, passant une grande partie de leur règne en longues chevauchées dans les provinces.

Par contraste, Louis XIV surprit nombre de ses contemporains quand il décida de s'installer définitivement à Versailles. Mais il ne faut pas pour autant exagérer cette « fixation » : l'année même de son installation, le roi entreprit un périple de deux mois qui le conduisit à Blois, à Chambord et à Fontainebleau. De même, il participa en personne à toutes les campagnes militaires jusqu'en 1693 (il commanda notamment le siège de Namur en 1692).

Néanmoins, les visites royales à la capitale furent exceptionnelles : en janvier 1687, pour l'action de grâce à Notre-Dame après le rétablissement de sa santé, deux fois en 1701 et une fois en 1706 pour se rendre aux Invalides, qu'il affectionnait particulièrement. L'installation de Louis XIV loin de Paris, la capitale, signifie bien un changement important dans la pratique de l'autorité monarchique. En effet, le mode de gouvernement par grands voyages, enrubannés de propagande symbolique, a duré jusqu'au début des années 1660 (le mariage du roi fut l'occasion d'un grand voyage dans le sud du royaume). Ensuite, le renforcement de l'autorité royale a rendu les déplacements du pouvoir moins indispensables.

L'enracinement du roi à Versailles marque ainsi une sorte de révolution du pouvoir monarchique : le Roi-Soleil se place désormais au centre de son État. Il appartient dès lors aux courtisans, et même aux sujets, de tournoyer autour de Sa Majesté, mais non l'inverse.

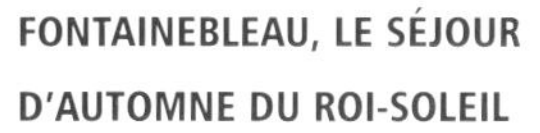

FONTAINEBLEAU, LE SÉJOUR D'AUTOMNE DU ROI-SOLEIL

Parmi les lieux multiples que fréquente l'État nomade, le château de Fontainebleau occupe une place particulière : en effet, en 1526, de retour de sa captivité à Madrid, François Ier avait décidé d'abandonner le Val de Loire pour l'Île-de-France. Fontainebleau était proche de la capitale et au cœur d'un magnifique domaine forestier et giboyeux de 17 000 hectares. Ces deux raisons décidèrent le roi

Louis XIV aimait se rendre à Fontainebleau, où une forêt giboyeuse accueillait ses chasses.

à transformer le château qui tombait en ruine. Très vite, ce qui ne devait être à l'origine qu'un bâtiment de chasse prit une ampleur inédite. Tous les rois de France, et notamment Louis XIV, l'adoptèrent. Pendant le règne du Roi-Soleil, pratiquement chaque année, Fontainebleau fut l'espace de résidence du souverain et de la cour au début de l'automne (septembre-octobre), saison de la chasse : c'est là que, lors d'un de ses séjours, Louis XIV révoqua l'édit de Nantes (édit de Fontainebleau du 18 octobre 1685).

Louis XIV et Marie-Thérèse d'Autriche en promenade devant le château de Vincennes, en 1669.

1604-1607

Henri IV et Louis, le Dauphin, dans les forêts de Versailles

Fils de grands chasseurs, dès l'enfance tous les fils de roi sentent la chasse, vibrent aux sons et à la violence de la poursuite d'un loup ou d'un cerf. Les forêts de Versailles furent, pour le jeune Louis XIII, une école de discipline et de maîtrise de soi, une école de plein vent.

Activité noble entre toutes, l'art de la fauconnerie était l'un des piliers de l'éducation royale.

Dans les premières années du XVIIe siècle, Versailles accueille de plus en plus souvent les chasses du roi Henri IV puis celles de son fils Louis, le Dauphin.

Le futur Louis XIII adore particulièrement ces exercices de plein air, d'autant que les forêts qui entourent Versailles sont riches en cerfs, en sangliers, en renards, en lièvres, en lapins et en loups. Suivre les chasses royales, voir dresser les chiens, apprendre la fauconnerie, chasser lui-même : voilà sans doute les plus grands plaisirs du Dauphin. Sur ces années d'enfance de Louis XIII, nous disposons d'une source exceptionnelle : le journal que son médecin, Jean Héroard (1550-1628), a rédigé jour après jour, jusqu'à sa mort, notant sur six gros registres et plus de onze mille pages tous les faits, les gestes, les paroles de son royal patient.

Fils d'une lignée de grands chasseurs, le jeune Louis XIII fut initié aux plaisirs de la chasse dès l'âge de 6 ans.

Nous savons ainsi que le 15 janvier 1604, par exemple, Henri IV partit chasser à Versailles. Trois ans plus tard, le 24 août 1607, le fils du roi est alors âgé de 6 ans.

Ce jour-là, à quatre heures moins le quart, il lui prend brusquement humeur d'aller à la chasse. Il commande alors à M. de Ventelet, son gouverneur : « Tetai faites attelé le carrosse, je veu allé a la chasse! Teine [capitaine] faite teni pré les oiseaux. » Aussitôt dit, aussitôt fait : à quatre heures et demie, il entre dans son carrosse et est mené aux environs du moulin de pierre allant à Versailles : là, il voit prendre près de lui un lièvre, cinq ou six cailles et deux perdreaux chassés par son épervier. Il vit aussi un grand renard qui se sauvait vers le moulin, si grand que certains pensèrent qu'il s'agissait d'un loup : « Ho si j'avé mon epée, je li couperé le cou for bien, je vous en asseure », dit-il avec ardeur en branlant la tête. À son retour à Saint-Germain, il raconta avec force détails tout ce qu'il avait vu lors de cette première chasse versaillaise.

C'est dans les forêts de Versailles et de Saint-Germain que le futur Louis XIII a appris le grand art de la fauconnerie, d'abord avec des oiseaux

La fauconnerie n'était pas le seul privilège des hommes de cour. Les grandes dames de la noblesse y prenaient parfois une part active, comme en témoigne ce tableau de W. Philips (1619-1668).

modestes, comme la pie-grièche, ensuite avec des faucons. Il fut l'un des derniers souverains à pratiquer la chasse au vol avec grand talent.

À cette époque, tous les pédagogues des souverains louent les éminentes vertus de la chasse. La chasse est ainsi, explique Jean Héroard, un abrégé des exercices militaires. La Mothe Le Vayer, qui fut l'un des précepteurs du jeune Louis XIV, a écrit un traité sur l'éducation des rois. Il souligne qu'en rendant le corps robuste, la chasse prépare les jeunes hommes, et plus particulièrement ceux qui sont destinés à être rois, aux fatigues de la guerre. Plus encore, la chasse, pour le roi, est un moyen de connaître et de reconnaître le territoire de son royaume; elle est pour lui la meilleure initiation à la géographie car elle lui permet d'apprécier l'étendue et les capacités des provinces.

Le jeune fils d'Henri IV ne pensait sans doute pas à la géographie quand il s'adonnait au plaisir de la course au lièvre, au renard ou au loup dans les forêts giboyeuses de Versailles. Mais c'était pour lui un exercice excitant et enivrant, au point d'animer souvent ses rêves. Ainsi, le 3 octobre 1606, Jean Héroard rapporte que Louis (il vient alors d'avoir 5 ans) se réveille en sursaut, en poussant un cri épouvantable : « Monsieur, lui demande la nourrice, qu'aviez-vous à songer et à crier cette nuit? » Il répond aussitôt : « J'étais à la chasse avec papa. J'ai vu un grand loup qui voulait manger papa et un autre qui me voulait manger. Je les ai tués tous les deux. » Une prémonition de l'assassinat d'Henri IV, son père, un soir de mai 1610?

Roi chasseur autant que roi guerrier, Henri IV appréciait Versailles pour ses forêts giboyeuses.

Le « petit château de cartes » de Louis XIII

Devenu roi le jour de l'assassinat de son père, Louis XIII (1601-1643) est resté tout au long de son règne un roi cavalier, passionné par la chasse. Préservé du tumulte de Paris, Versailles l'attirait de plus en plus. En 1623, il décide de construire un relais de chasse...

Le 14 mai 1610, Henri IV fut assassiné par Ravaillac, laissant à son fils âgé de 9 ans la lourde responsabilité des affaires du royaume.

Depuis l'assassinat de Concini, le favori de sa mère Marie de Médicis, assassinat que sans doute il ordonna en avril 1617, le souverain vivait de préférence hors de Paris. Roi mélancolique et timide, Louis XIII, aux intrigues de la cour ou aux séances du Conseil royal, préférait la solitude et les grandes chevauchées avec quelques compagnons dans les forêts giboyeuses de l'Île-de-France, à quelques lieues du Louvre, à Monceaux, Lésigny-en-Brie, Compiègne, Fontainebleau, Saint-Germain-en-Laye... Lors de ces pérégrinations, il eut l'occasion de passer souvent à Versailles.

Le « petit château de cartes », premier Versailles, comportait à l'origine un corps de logis agrémenté de deux ailes situées de part et d'autre et formant une cour.

En septembre 1623, fatigué peut-être, comme l'explique Saint-Simon, d'avoir parfois couché « dans un cabaret à rouliers et dans un moulin à vent », le souverain décide d'affecter un crédit spécial pour la construction non pas d'un château, comme on l'a souvent écrit, mais d'un simple relais de chasse royal sur la petite butte de Versailles. La colline était occupée par un moulin à vent, cernée de bois et de marais. Un maître maçon, Nicolas Huau, fut affecté au chantier. Soucieux de n'entreprendre qu'une construction modeste, le roi décide que les dépenses seraient supportées par son crédit personnel, la caisse dite des « menus plaisirs », destinée à payer les frais des fêtes, des comédies, des ballets dont le roi était friand. Près d'une vingtaine d'expropriations ont été nécessaires pour constituer le premier « parc » de Versailles : 9 856 livres furent payées à ceux qui abandonnèrent au roi

Avant le début de son règne personnel (1661), Louis XIV séjourna peut-être une vingtaine de fois à Versailles, presque toujours à l'occasion de longues chasses dans les forêts giboyeuses de Versailles.

leurs terres et leurs prés. L'emplacement du relais de chasse fixé, il parut nécessaire d'aménager un parterre autour de la nouvelle construction. On traça donc le plan d'un domaine d'une étendue totale de 117 arpents, soit 40 hectares. En 1631, on confia à un homme du pays, Pierre Le Sage, et à Denis Mercier, receveur de la seigneurie de Versailles, le soin d'établir un arpentage des terrains et une estimation de leur valeur.

Le terrain ainsi préparé, un architecte fut désigné pour construire le bâtiment. Deux constructions se succédèrent : la première, modeste, entre 1623 et 1626, la seconde, plus imposante, entre 1632 et 1634. Le premier Versailles, construit à partir de 1623, a l'apparence d'une simple gentilhommière des champs, sans luxe et sans ornement superflu.

La Cour carrée, aujourd'hui appelée la Cour de marbre, est l'un des éléments les plus anciens du château de Versailles.

Cette maison comportait un appartement royal, situé au premier étage, dont les murs étaient tendus de tapisseries flamandes représentant l'histoire de Marc Antoine, un cadeau de Marie de Médicis. Il comportait une salle (salle des pas perdus), un cabinet, une chambre à coucher et une garde-robe. Il n'y avait pas d'appartement pour la reine. Une quinzaine de chambres avaient été prévues pour les invités. L'architecte conçut aussi le service de la table du roi, un magasin d'armes et, dans les dépendances, le logis des valets de chambre et des maîtres d'hôtel, du médecin, de l'apothicaire, du corps de garde. Enfin, l'appartement du concierge qui fait fonction de « gouverneur » de l'ensemble de la demeure.

Ce premier Versailles était effectivement très simple : un corps de logis de 38 mètres de long, face au soleil couchant, sur le jardin, avec deux ailes formant une cour intérieure rectangulaire de 21 mètres de large sur 32 mètres de profondeur, ouverte vers le levant et terminée par un portique de sept arcades. Cette cour originelle existe encore : c'est aujourd'hui la Cour de marbre. Aux quatre angles, l'architecte avait édifié quatre pavillons de 9 mètres sur 6. Le plan, classique, ne différait guère des constructions de gentilhommières reproduites depuis un siècle par les architectes : un plan carré avec des pavillons d'angle.

Tout autour du château, suivant l'usage du temps, un fossé avait été creusé, revêtu de murs de brique et de pierre, et, au-delà, une terrasse avait été aménagée, agrémentée d'une balustrade, avec un perron à l'ouest, d'où l'on descendait vers le jardin. De la cour, on entrait dans le château par les ailes. Du château, on accédait au jardin au moyen d'un petit pont jeté sur le fossé.

Quelques années plus tard, en 1632, Louis XIII achète à Jean-François de Gondi, archevêque de Paris, conseiller au Conseil d'État, dont la famille possédait la seigneurie de Versailles au Val de

C'est en 1651 que Louis XIV vient pour la première fois chasser à Versailles. Tout comme son père, Louis XIII, il se prendra d'une affection profonde pour le château et son domaine.

Galie depuis 1575, « la terre et seigneurie de Versailles ».

Le domaine est composé d'un « vieil château en ruine » et d'une ferme entourée de terres labourables, de prés, de bois, d'une châtaigneraie, d'un étang et de plusieurs dépendances. Le tout est vendu pour la somme de 66 000 livres.

Cet achat double la superficie du domaine du château. Le 26 mai 1632, en présence du curé et des habitants, on arrache le poteau « où sont les armes du sieur archevêque de Paris, ci-devant de Versailles » et, sur l'orme principal du carrefour, on place les armes du souverain.

Entre 1631 et 1634, le château initial est amélioré et agrandi, sur ordre du roi, par l'architecte Philibert Le Roy. Les réaménagements du début des années 1630 ont été menés de manière méthodique : en 1631, la façade sur les jardins et les murs du parc; en 1632, l'aile droite (ou septentrionale); en 1633, la façade sur la cour et l'aile gauche; en 1634, la clôture de la cour. Mais l'ensemble reste toujours assez modeste : le corps de logis de fond de cour est allongé et élargi, mais il ne conserve toujours qu'un rang de pièces en profondeur. Les ailes sont surélevées et prolongées par un pavillon à chacune de leur extrémité. L'intérieur est simple : cheminées en plâtre, planchers de sapin ou en carreaux de terre cuite.

Cette simplicité lui vaudra d'être qualifié de « petit château de cartes » par Saint-Simon, alors que l'ambassadeur de Venise n'y voit qu'une « petite maison pour la récréation ».

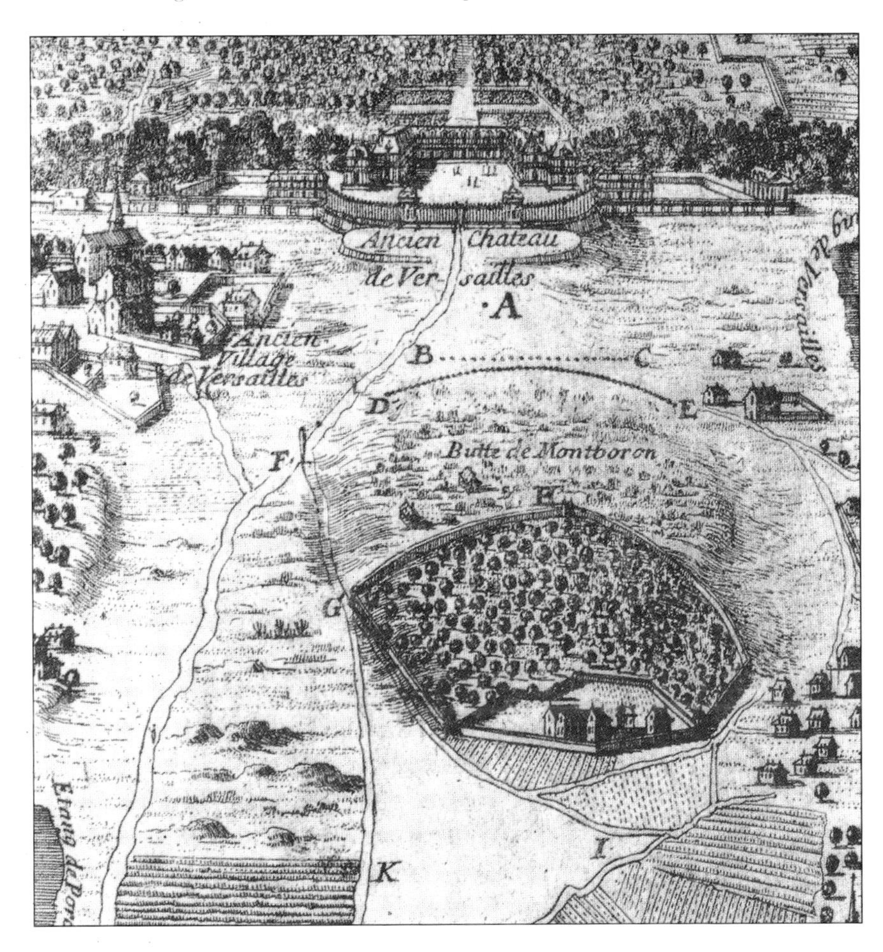

En 1623, Louis XIII décide d'agrandir le domaine de Versailles : il achètera les terres situées sur la butte, en face du village, et ordonnera promptement le départ des travaux. Les acquisitions de terrains se poursuivront jusqu'en 1637.

Les séjours à Versailles de Louis XIII, roi chasseur

Louis XIII se plaisait de plus en plus dans son « pavillon de chasse ». Et il passait de nombreux moments avec ses compagnons chasseurs, parmi les bêtes et les oiseaux, « selon son inclination et sa coutume », comme l'explique l'ambassadeur italien Morosini.

La première ménagerie de Versailles renfermait des animaux sauvages comme des sangliers et des faucons, destinés aux longues et fréquentes chasses de Louis XIII.

Le 9 mars 1624, le roi couche pour la première fois dans le nouveau Versailles, encore en chantier. À la fin du printemps 1624, interrompant à deux reprises ses séjours à Compiègne ou à Saint-Germain, Louis XIII vient « voir son bâtiment ». Le journal d'Héroard, son médecin, confirme le premier séjour un peu prolongé de Louis XIII au début du mois de juillet, précisant même qu'à cette occasion le souverain a tracé le plan de la basse cour de « sa maison de Versailles ». Le 2 août, arrivant pour chasser, le roi « s'amuse à voir toutes les sortes d'ameublement que le sieur de Blainville, premier gentilhomme de la chambre, a fait acheter, jusqu'à la batterie de cuisine ». Le 16 décembre, Morosini note que « les ambassadeurs suisses n'ont pas encore vu le roi, qui est allé tous ces jours-ci à Versailles passer son temps avec les chasseurs et les chiens, les bêtes et les oiseaux, selon son inclination et sa coutume, qui devient ordinaire ».

Deux ans plus tard, le 3 novembre 1626, réconcilié avec sa mère, Marie de Médicis, Louis XIII la reçoit à Versailles, ainsi que sa femme, la reine Anne d'Autriche, pour leur donner « le plaisir de la chasse », comme l'explique Jean Héroard. Le roi aime aussi recevoir des hôtes prestigieux : il offre ainsi une chasse aux loups à milord Fidlin, ambassadeur d'Angleterre, le 9 novembre 1634, et une chasse aux cerfs en avril 1637 au duc de Saxe-Weimar, l'un des principaux alliés de la France en Allemagne.

À cette date, le château dispose de quatre dépendances : une orangerie, une ménagerie, un potager, le parc aux Cerfs, un vaste enclos qui abritait des cerfs et des daims destinés à la chasse.

La réconciliation de Marie de Médicis et de son fils fut scellée en 1626 grâce à l'intervention de Richelieu. La paix mettait provisoirement fin à une longue querelle de pouvoir entre la régente et Louis XIII.

Dans la ménagerie, on enfermait divers animaux sauvages, des sangliers et, surtout, le vol du Roi, à savoir les divers équipages d'oiseaux de fauconnerie, car Louis XIII aimait passionnément « voler », c'est-à-dire chasser au faucon.

Le 19 août 1638, Louis XIII écrit à Richelieu : « Je m'en vais demain à Versailles pour deux ou trois jours. J'ai trouvé le sexe féminin avec aussi peu de sens et aussi impertinent en leurs questions qu'il a accoutumé. »

Il écrira aussi, pour justifier son refus de recevoir la reine et ses dames d'honneur : « J'avoue qu'elle pourrait bien loger à Versailles avec mes enfants, mais je crains ce grand nombre de femmes qui me gâteraient tout. »

Le 30 août, il confie à Richelieu qu'il part de nouveau pour Versailles, car « l'air de Saint-Germain n'est pas bon à cette heure pour moi ».

En décembre 1641, Mazarin, nommé cardinal par le pape Urbain VIII, se rend à Versailles pour remercier le roi de sa promotion. Un an plus tard, à la mort de Richelieu, Louis XIII se retire à Versailles, importuné, explique Nicolas Goulas, un contemporain, par la quantité de gens qui arrivaient.

Le mois de février 1643 est celui du dernier séjour de Louis XIII, déjà très malade, à Versailles. Son agonie se passe à Saint-Germain, le château de son enfance, mais son valet de chambre, Marie Dubois, précise bien qu'il n'y demeure que parce qu'il est intransportable et qu'« il s'est fait transporter du château vieux au château neuf avec l'intention d'aller à Versailles aussitôt qu'il pourra ».

Quelques jours avant sa mort, le 25 avril, Louis XIII a tenu à offrir, dans sa chambre de souffrance, une collation composée de ses chères confitures de Versailles à la reine, à la princesse de Condé, aux duchesses de Lorraine et de Longueville...

Le 14 mai 1643, Louis XIII meurt. Désormais et pendant huit ans, Versailles est laissé dans un état de quasi-abandon.

LES PREMIERS JARDINS DE VERSAILLES

En 1639, une seconde équipe de jardiniers remanie le jardin auquel conduisent depuis le château un perron et une terrasse. Le jardinier de Versailles fut vraisemblablement Jacques de Menours, mais d'autres, comme Hilaire Masson, Claude Mollet, Jacques Boyceau de La Barauderie, y participèrent peut-être. Les jardiniers tracèrent à l'intérieur d'un ensemble carré, dont la superficie sera celle des jardins de Louis XIV, une allée centrale qui, dans l'axe du château, s'achève à l'ouest au creux du vallon sur une pièce d'eau. Ce « rond d'eau », alimenté par le ru de Galie, deviendra le bassin d'Apollon. À l'endroit où deux allées diagonales recoupaient l'allée centrale, un deuxième bassin fut aligné sur celui du parterre de broderie au pied du château.

À la fin des années 1630, le château de Versailles disposait de quatre dépendances, dont une orangerie et un potager, qui fut remplacé par celui de Jean de La Quintinie en 1679.

Un événement exceptionnel : la journée des Dupes

En novembre 1630, Versailles est le théâtre d'un événement d'une grande importance historique : la journée des Dupes. Cette journée marque une forte inflexion de la ligne politique de la monarchie. Désormais, la raison d'État s'impose comme mode d'action.

Marie de Médicis tenta sans cesse d'accaparer le pouvoir et de ruiner la confiance que Louis XIII témoignait au cardinal-ministre Richelieu.

Il s'agit de la rupture définitive entre la reine mère et le cardinal de Richelieu, une rupture dont l'issue ne fut pas celle que l'on attendait. En effet, Marie de Médicis ainsi que Gaston d'Orléans, le frère cadet de Louis XIII, voulaient la disgrâce de Richelieu. La reine mère la demanda au roi, à Lyon, à un moment où il était particulièrement malade. Le dimanche 10 novembre, elle démit le cardinal des charges qu'il occupait dans sa maison. Le lendemain matin, lors d'une visite du roi à sa mère, Richelieu fait irruption dans la pièce, et l'on imagine l'entrevue orageuse.

Le soir du 11 novembre, le roi quitte Paris pour Versailles, sans dire un mot au cardinal-ministre. Richelieu, suivant les conseils de plusieurs proches du roi (en particulier le cardinal de La Valette), le rejoint bientôt, ce dont le roi se félicite. À cette occasion, pour la première fois, le roi convoque à Versailles les ministres et secrétaires d'État et, dans la nuit, tient conseil en l'absence du garde des Sceaux, Michel de Marillac, promis à la disgrâce. « Demeurez auprès de moi, et je vous protégerai contre

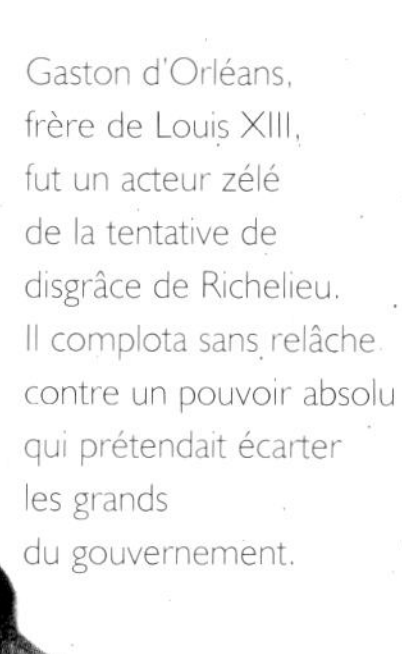

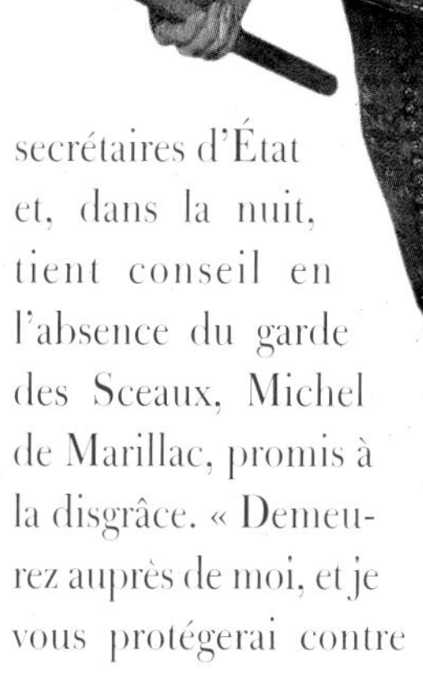

Gaston d'Orléans, frère de Louis XIII, fut un acteur zélé de la tentative de disgrâce de Richelieu. Il complota sans relâche contre un pouvoir absolu qui prétendait écarter les grands du gouvernement.

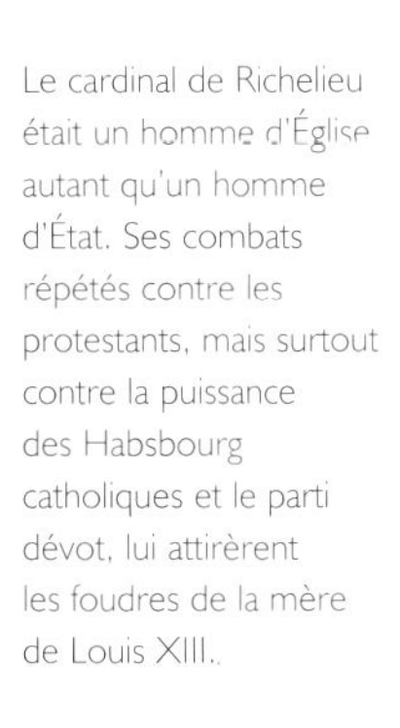

Le cardinal de Richelieu était un homme d'Église autant qu'un homme d'État. Ses combats répétés contre les protestants, mais surtout contre la puissance des Habsbourg catholiques et le parti dévot, lui attirèrent les foudres de la mère de Louis XIII.

tous vos ennemis. » Telles auraient été les paroles de Louis XIII à Richelieu. Ce même soir, des réjouissances se déroulent au Luxembourg autour de la reine mère. On la congratule pour son « coup de majesté ». Mais, au même moment, le roi et son ministre organisent l'élimination du parti dévot favorable à une alliance avec l'Espagne contre les puissances protestantes.

Cette élimination est signifiée par l'arrestation de Michel de Marillac, le garde des Sceaux, et par l'exécution de son frère, Louis de Marillac, deux ans plus tard, pour trahison. La reine mère, quant à elle, doit se retirer à Compiègne. La position réaffirmée de Richelieu au Conseil renforça la politique de lutte contre les souverains de l'Espagne et de l'Empire, les Habsbourg, parallèlement au durcissement intérieur.

Si on ne sait toujours pas ce qui s'est passé les 10 et 11 novembre 1630, trois interprétations restent possibles : soit une quasi-victoire de l'opposition contre la politique de Richelieu; soit l'affirmation de l'autorité absolue de Louis XIII, qui a su imposer son choix; soit le consentement préalable du roi et de son ministre en accord pour écarter une opposition jugée dangereuse pour la politique préconisée par le cardinal-ministre.

Dans tous les cas, la raison d'État s'est imposée pour justifier l'action du roi. Versailles fut ainsi le lieu d'affirmation du pouvoir absolu.

LA JOURNÉE DES DUPES : LE TRIOMPHE DE LA RAISON D'ÉTAT

Des décisions fondamentales ont bien été prises à Versailles le 11 novembre 1630 : cette date annonce le changement de la politique de l'État royal et la perte d'influence des dévots, en même temps qu'une rupture de plus en plus nette entre le politique et le religieux. Le pouvoir, en devenant autonome, se fixait désormais sa propre fin : le salut de la « chose publique ». On accusa Richelieu de souscrire aux thèses de Machiavel et d'oublier la religion dans l'exercice du pouvoir. Pourtant, le système géopolitique voulu par Richelieu était fondé sur un équilibre et un ordre voulus par Dieu, dont Louis XIII serait le garant. Il s'agissait pour le cardinal-ministre de servir à la fois Dieu, le roi et la raison d'État. En fait, Richelieu n'a jamais cessé d'être l'un des prélats de France les plus attachés à l'œuvre de la Réforme catholique, condition préalable, selon lui, à une véritable Contre-Réforme qui rétablirait l'unité par la force et la persuasion.

Les théories politiques de Machiavel (à droite), fondées sur la raison d'État et l'institution d'un pouvoir autonome et laïque, écartaient la religion de tout principe de gouvernement.

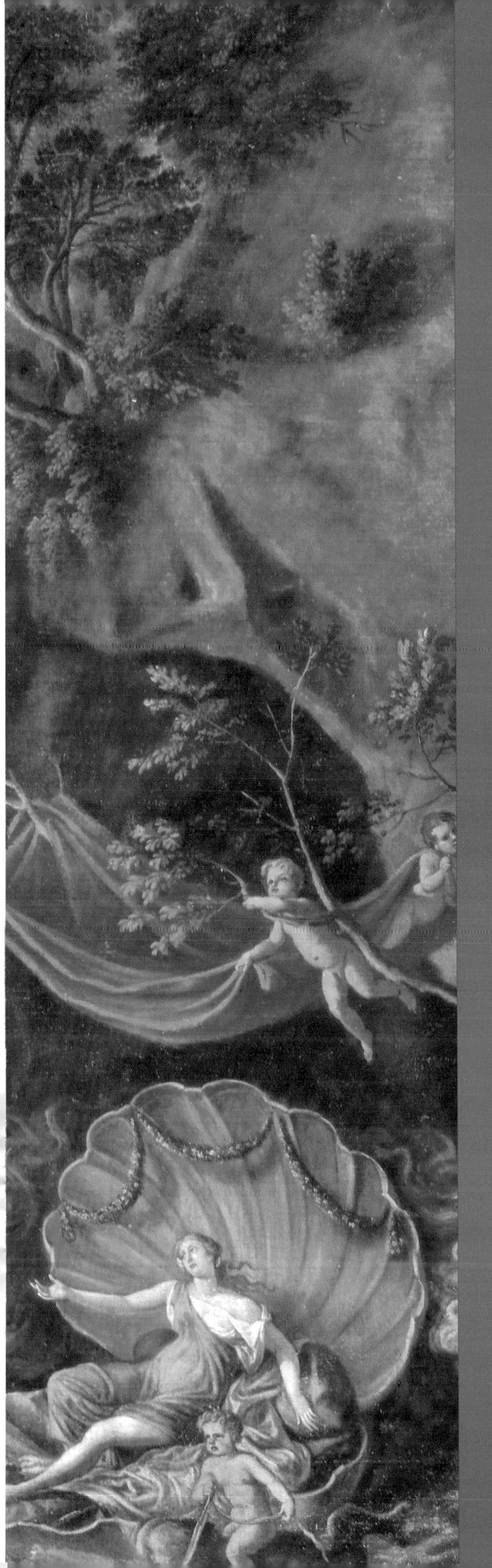

1661-1682
Le palais des plaisirs du roi

Apollon accueilli par Thétis devant une vue panoramique de la ville et du château de Versailles après les travaux de Le Vau. École française, XVIIe siècle.

1662-1663

Le réveil du château au bois dormant

Le château de Versailles en 1664, vu depuis l'avenue de Paris.

Château endormi depuis près de vingt ans au cœur de sa forêt de cerfs et de loups, Versailles vient de renaître au rythme des visites de plus en plus fréquentes d'un jeune prince amoureux des fêtes et des divertissements qui se succèdent pour le plaisir du Roi-Soleil.

Ces années-là, 1662-1663, l'architecte Louis Le Vau construit la première orangerie : de Vaux-le-Vicomte, dont Fouquet avait été dépossédé en 1661, on fait venir des orangers en caisses et des milliers d'arbrisseaux. Il construit aussi la Ménagerie de Versailles, à l'extrémité de ce qui sera le bras méridional du Grand Canal. Des animaux choisis dans tous les continents, sont peu à peu rassemblés : des autruches, des gazelles, des dromadaires…

Les dépendances de l'avant-cour édifiées pour Louis XIII sont démolies et remplacées par deux bâtiments parallèles, en brique et en pierre, abritant à gauche les écuries et à droite les cuisines.

Charles Errard et Noël Coypel décorent quelques pièces des appartements qui sont réorganisés : le roi occupe le nord-ouest, la reine le sud-ouest et l'aile sud; la reine mère est logée au-dessous de Marie-Thérèse.

André Le Nôtre, contrôleur général des jardins du roi depuis 1658, redessine les jardins, au prix d'un travail

Ci-contre : André Le Nôtre, contrôleur général des jardins du roi, conçut ceux de Vaux avant la chute de Fouquet, en 1661.

La première orangerie construite par Le Vau nécessitera l'apport de milliers d'arbres. L'Orangerie actuelle a conservé cette végétation qui lui donne un caractère unique.

Page de droite : c'est André Le Nôtre qui, au prix d'un labeur considérable, fit élargir le tracé général des jardins de Versailles. Cette vue du château en 1668 montre la régularité et l'apparente symétrie de son œuvre, qui ne doivent cependant pas faire oublier sa diversité baroque.

1664-1670

La Ménagerie de Versailles

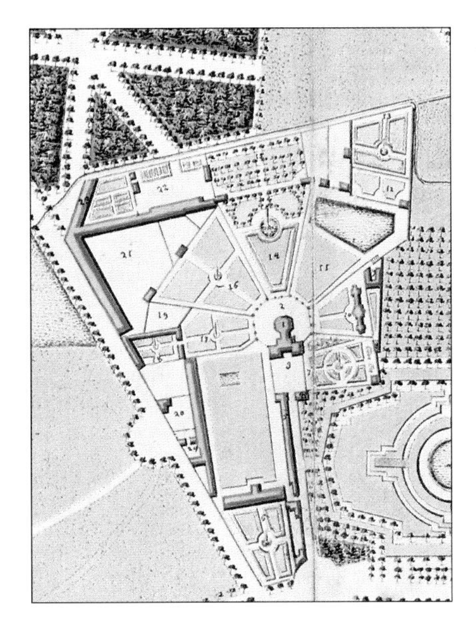

Ce plan dressé en 1744 restitue l'apparence de la Ménagerie telle qu'on pouvait la voir à la fin du règne de Louis XIV. Celle-ci comportait un château entouré de cours abritant toutes sortes de volatiles exotiques, comme des pélicans ou des autruches, ainsi qu'un lion et même un éléphant, offert par le roi du Portugal en 1668.

Pendant quelques années, Louis XIV porte un vif intérêt aux animaux exotiques. La Ménagerie, construite par Louis XIII, est transformée, agrandie et embellie pour devenir l'une des plus intéressantes attractions du château.

Dès 1663 sans doute, le roi ordonne de faire reconstruire au sud-ouest du château, le long de la route de Saint-Cyr, la Ménagerie, afin d'accueillir des animaux rares et exotiques : il s'agit là d'une retombée du goût nouveau pour les sciences naturelles et pour l'Orient. Une tour octogonale est édifiée, renfermant une grotte au rez-de-chaussée et un salon au premier étage pour que chacun puisse observer sans danger les huit cours clôturées consacrées aux animaux rares. Avant l'achèvement des travaux, pendant les fêtes de 1664, le souverain mène la cour à la Ménagerie : tous sont alors émerveillés par le nombre d'oiseaux de toutes sortes qui s'y trouvent déjà rassemblés. En 1668, lorsque tout est terminé, Louis XIV dispose d'un nouveau « petit château » décoré de peintures d'Errard, de cuivres ciselés de Cucci, de rocailles de Delaunay, le tout pour accueillir de nombreuses espèces.

À partir de 1671, la Ménagerie est alimentée par des missions envoyées au Levant : on en compte quarante et une entre 1671 et 1694, dont on rapporte des poules sultanes, des autruches, des canards d'Égypte, des pélicans… On dénombre bientôt cinquante-cinq espèces de mammifères, seize de rapaces, dix-sept de gallinacées, vingt de perroquets, vingt-neuf de palmipèdes, trente-neuf d'échassiers, cinq de reptiles et bien d'autres encore. Tous ces animaux sont placés dans des loges ou dans des cours gazonnées, ornées de bassins avec jets d'eau. Les animaux qui meurent sont aussitôt empaillés pour former une collection.

En 1698, Louis XIV offrira la Ménagerie à la toute jeune duchesse de Bourgogne, l'épouse de l'aîné de ses petits-fils, et il demandera à cette occasion à Jules Hardouin-Mansart d'en renouveler la décoration intérieure.

Colbert contre Versailles

Colbert est responsable des bâtiments mais surtout des finances de l'État. Son souci grandit à mesure qu'augmente la passion de Louis XIV pour le château. Versailles devient trop onéreux et c'est sur le Louvre que le roi devrait porter son attention !

Ci-contre : une image de la saine gestion des Finances que Colbert prétendit rétablir au nom du roi après la disgrâce et le procès de Fouquet.

Depuis son arrivée aux Finances en 1661, Colbert poursuit un grand dessein : réduire les dettes et le déficit de l'État, assainir le budget pour diminuer et, peut-être, supprimer le décalage constant entre les recettes et les dépenses. Aussi Colbert veut-il abaisser le montant des impôts directs (la taille), augmenter celui des impôts indirects (la gabelle, les aides, les traites) afin, dit-il, d'enrichir le royaume, c'est-à-dire l'État, et donc le roi. On peut comprendre combien la politique royale de dépense pour les plaisirs de Versailles heurte la gestion financière de l'ardent ministre.

Dans une lettre courageuse, écrite au début des années 1660, Colbert ose exprimer son vif mécontentement face à l'ampleur des dépenses provoquées par Versailles : cette maison, explique-t-il, concerne plus « le plaisir et le divertissement de Vostre Majesté que sa gloire ». Et où sont passés les 500 000 écus (1 500 000 livres, soit l'équivalent de trois millions de journées du salaire d'un artisan) qui ont déjà été dépensés depuis deux ans? « Sa Majesté aura assurément peine à les trouver. » Or, pendant ce temps, le roi néglige le Louvre, la résidence traditionnelle des souverains à Paris.

Dans ses *Mémoires*, Perrault a aussi rapporté des paroles amères de Colbert : « C'est un abîme que les bâtiments; plus j'y travaille et plus j'y trouve de difficultés. Les finances ne m'ont point donné de peine en comparaison; je les ai toutes réglées avec facilité et je ne puis sortir des embarras que les bâtiments me donnent. »

Comme à son habitude, Louis XIV écoutera son ministre et puis décidera que seul Versailles importe à sa renommée. La gloire du Roi-Soleil n'a pas de prix!

Veillant au bon équilibre des finances de l'État royal, Colbert se désespérait des dépenses occasionnées par l'agrandissement et l'aménagement du château de Versailles. Seul contre la volonté royale, il ne pouvait avoir gain de cause.

Quand Bernin rencontra Louis XIV…

L'année 1665 est marquée par le séjour en France de Bernin (1598-1680), l'architecte de la colonnade de Saint-Pierre de Rome, considéré comme l'un des plus illustres artistes de son temps. Invité à Versailles, il visite le château et ses jardins.

Bernin, alors âgé de 67 ans, a été invité personnellement par le jeune roi pour discuter de la manière d'achever le Louvre. Impérieux dans ses jugements, pleinement conscient de sa valeur, l'artiste romain est alors au sommet de sa gloire. Il a eu le génie, notamment, de transformer Rome en un grand théâtre baroque de fontaines et d'eau vive. Il arrive à Paris en juin, accueilli par Paul Fréart de Chantelou, un amateur d'art averti qui connaît bien l'Italie et la langue italienne. Dès cet instant, il ne quitte plus Bernin, dont il devient le conseiller, le guide et l'ami.

En septembre, Bernin est convié à participer à Versailles à la fête de Saint-Hubert, prétexte à quatre jours de réjouissances pendant lesquels Molière, promu chef de la troupe du roi, malgré la cabale des dévots contre *Tartuffe* et *Dom Juan*, donne la première de *l'Amour médecin*. À cette date, le château est encore de modeste allure. Le Nôtre fait visiter les jardins à l'illustre Italien et lui montre ses dessins et l'avancement des pentes, des descentes à pied et en carrosse qu'il fait exécuter. Bernin trouve l'ensemble « beau », simplement. Quant au château lui-même, son jugement est net : « Cela est galant ; tout ce qui est proportionné est beau ; ce palais est proportionné. Dans ces palais, on ne recherche pas la solidité, et c'est pour cela qu'on arrive à un bel effet. Tout ce que l'on a fait ici est très élégant. »

Le buste de Louis XIV, « roi de France et de Navarre », par Bernin présente le monarque alors âgé de 27 ans, dans toute la splendeur de sa jeunesse. Il est aujourd'hui placé dans le salon de Diane, au cœur du Grand Appartement.

Furieux de ne pas se reconnaître dans la statue équestre sculptée par Bernin, Louis XIV la fera transformer en Marcus Curtius et ordonnera qu'on la place loin des regards, à l'extrémité nord du parc de Versailles.

Sculpté par Jean Varin, que l'on mit en compétition avec Bernin, ce buste de Louis XIV ne put néanmoins rivaliser avec celui du maître italien. La froideur classique du buste de Varin tranchait trop fortement avec la fougue que l'artiste romain avait imprimée à son œuvre.

Lors de son séjour, Bernin sculpte un buste du roi. Ce dernier lui fait l'honneur d'accepter de nombreuses séances de pose pendant lesquelles l'artiste et son modèle parlent aimablement en italien : « M. Colbert a admiré combien il avait de majesté et de ressemblance », rapporte Chantelou dans son *Journal de voyage du Cavalier Bernin en France*. Le roi y apparaît jeune, beau, majestueux, « en action ». Malgré la réussite de cette sculpture, on voulut la mettre en compétition, ce qui blessa fortement Bernin.

C'est à Jean Varin qu'échoit le redoutable honneur de faire concurrence au buste de Bernin. L'œuvre est d'une grande précision, mais ce portrait sage, guindé, froid ne peut soutenir la comparaison avec la fougueuse et baroque composition du maître italien.

À son départ pour Rome, en 1665, Bernin reçoit la commande d'une statue équestre de Louis XIV.

L'ouvrage, achevé en 1674, n'est acheminé que dix ans plus tard. Louis XIV le découvre en 1685. En effet, au retour de son séjour de chasse de deux mois à Chambord et à Fontainebleau, Louis XIV revient à Versailles. On lui présente la statue de Bernin, le représentant en Alexandre conquérant (Bernin est mort en novembre 1680).

Le Cavalier Bernin devait sa notoriété aux travaux qu'il avait accomplis à Rome. Sensible à son talent, Louis XIV le fit venir à Paris pour terminer les aménagements du Louvre, alors inachevé. Les projets de l'Italien ne furent néanmoins pas retenus.

Le roi exprime une vive déception : il ne se reconnaît pas dans la figure de ce guerrier fougueux, et juge le cheval « mal fait ». Pour effacer définitivement toute identité entre ce cavalier et lui, le roi, après avoir envisagé de briser la sculpture, la fait transformer, en 1687, par Girardon en un Marcus Curtius, héros romain qui se jette dans les flammes pour sauver la République ; la statue est reléguée près du bassin de Neptune, à l'extrémité nord du parc, puis en 1702, toujours sur ordre du roi, en haut de la pièce d'eau des Suisses.

Cette incompréhension totale s'explique par de nombreux facteurs. Le temps est le premier : Bernin a gardé le souvenir du jeune monarque de 27 ans lors de son séjour à Paris en 1665. Il comparait alors Louis XIV à Alexandre, tant pour son allure physique que pour sa volonté de puissance.

C'est cette image qu'il a voulu transcrire dans le marbre. En fait, vingt ans plus tard, le roi a vieilli – il a à présent 47 ans –, se trouve entre deux opérations (de la mâchoire et d'une fistule), et, surtout, l'œuvre de Bernin se trouve « déplacée » par rapport à la nouvelle situation à la fois politique, esthétique et idéologique à Versailles. L'art politique dont Versailles est l'expression est devenu un art plus « classique » – équilibré, digne et imposant. « Déplacée » dans le temps, dans l'espace, dans la forme, l'œuvre du célèbre sculpteur baroque témoigne de la versatilité des goûts et des modes.

LE DIALOGUE DU ROI ET DU GÉNIE BAROQUE

Louis XIV a sans doute retenu et appliqué à Versailles la leçon que Bernin lui a donnée par ces propos « hardis » rapportés par Chantelou : « J'ai vu, Sire, les palais des empereurs et des papes, ceux des princes souverains qui se sont trouvés sur la route de Rome à Paris, mais il faut faire pour un roi de France, un roi d'aujourd'hui, de plus grandes et magnifiques choses que tout cela. Qu'on ne me parle de rien qui soit petit ! » La réponse de Louis est tout aussi riche d'enseignements sur les sentiments du souverain, partagé entre « l'envie de faire grand » (Versailles) et l'« affection de conserver » (le Louvre). « Après cela, le Roi a pris la parole et a dit qu'il avait quelque affection de conserver ce qu'avaient fait ses prédécesseurs, mais que si pourtant l'on ne pouvait rien faire de grand sans abattre leur ouvrage, il le lui abandonnait. »

1666

La grotte de Thétis

Située sur l'emplacement actuel du vestibule de la chapelle, la grotte de Thétis fut l'un des joyaux du premier Versailles de Louis XIV, le Versailles baroque des jardins à surprises et à merveilles qui enchantaient tous les visiteurs.

Apollon servi par les nymphes constitue le groupe principal des statues placées à l'origine dans la grotte de Thétis. On peut admirer aujourd'hui cet ensemble unique dans un cadre différent : après avoir été transporté en 1684 sur l'ordre du roi au bas du parc, dans le bosquet des Dômes, il fut rapproché du château en 1704.

La grotte de Thétis est commencée vers 1662 par Pierre de Francine et achevée en 1668. Girardon et Regnaudin reçoivent commande d'un groupe sculpté, *Apollon servi par les nymphes*, destiné à la grotte. Ce groupe, précédé de son modèle en plâtre, ne paraît avoir été mis en place qu'en 1676. Le thème développé par les sculptures est le Soleil qui, après avoir achevé sa course quotidienne, descend se reposer chez Thétis, divinité marine et immortelle, où six de ses nymphes sont occupées à le servir et à lui offrir toutes sortes de rafraîchissements.

L'ensemble a provoqué une forte impression sur les contemporains, comme s'ils étaient brusquement projetés dans un autre univers : celui de la fable, de la mythologie, du merveilleux.

La grotte a l'allure d'un grand massif de pierre taillé rustiquement, ouvert par trois grandes arcades fermées de grilles travaillées et dorées dont les barreaux semblent sortir d'un soleil central, situé dans les vantaux du milieu. L'intérieur, « enrichi de tout ce qu'il y a de plus précieux dans la mer », conçu par le rocailleur Delaunay, est entièrement revêtu d'ornements en nacre de perle, en corail, en motifs pétrifiés, en coquillages de toutes les couleurs, en émaux et en or, représentant le Soleil, des fleurs de lis, des L jaunes sur fond

Page de droite : Louis XIV et le Grand Dauphin passent à cheval devant la grotte de Thétis. On distingue derrière le souverain à cheval la grille ornée du soleil. Orientée en direction de l'ouest, elle permettait à la lumière de pénétrer dans la grotte et d'éclairer l'intérieur tapissé de coquillages et de coraux.

S. GERMAIN en Laie
S. LEGER
Montaigu
FOURQUEUX
MAREIL
Grand champ
LETANG
MARLI
VEZINET
Voisins
LOUVECIENNE
la Tuilerie Bignon
les Mares
Chaponval
NOISI
MARLI
BAILLI
RENNE MOULIN
ROQUENCOURT
LE CHENAI
S.T ANTOINE
FONTENAI le Fleuri

CHATOU
NANTERRE
CROISSI la Garenne
RUEL
la Malmaison
Mont Valerien
SURENE
BOUGIVAL
LA CELLE
Buzanval
Fouilleuse
Croix du Roi
GARCHE
petit Garche
VAUCRESSON
ville neuve
S.T CLOUD
Parc de l'Etang
DES HUBIES
MARNE
VILLE D'AVRAI
SEVRE
la Ronce

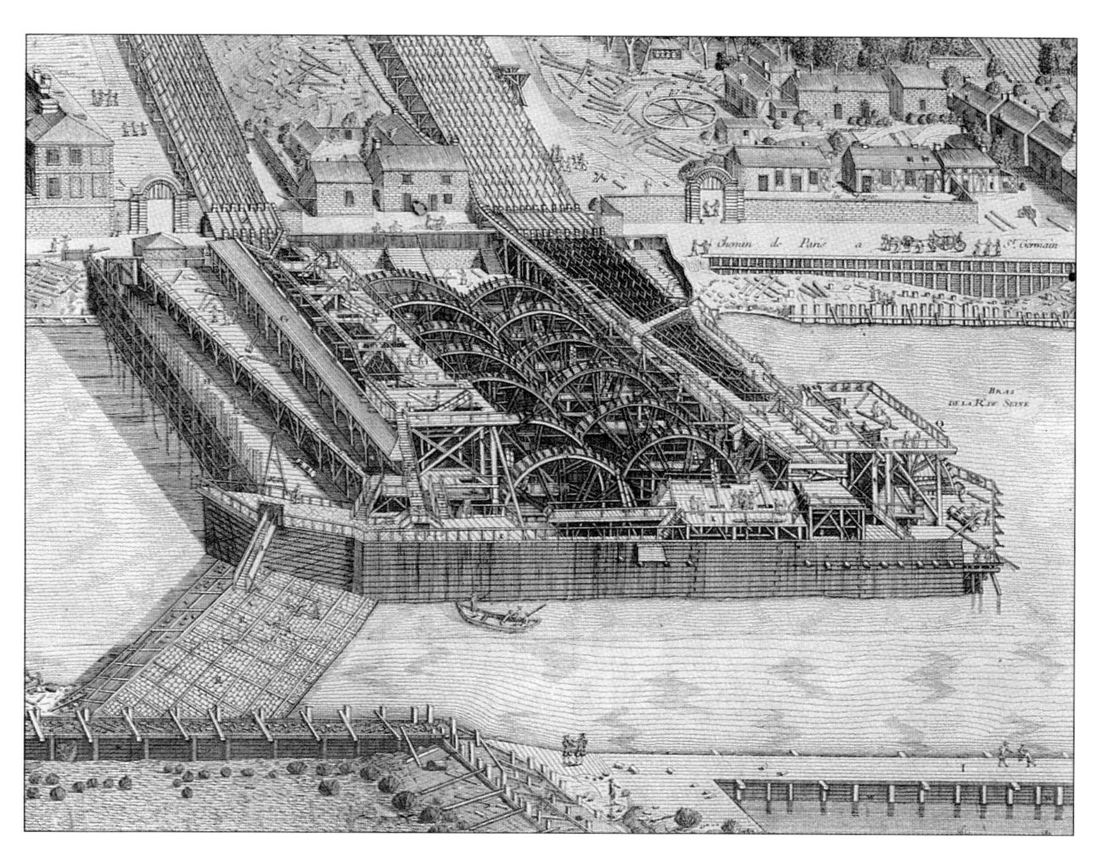

Détail de la machine de Marly, construite en 1682, avec ses gigantesques roues hydrauliques actionnant des pompes.

édifiée par Louis Le Vau. Elle alimentait trois réservoirs de glaise et, redistribuée par des canalisations de plomb, desservait un certain nombre de bassins. Un moulin à vent « de retour » permettait de renvoyer dans l'étang de Clagny l'eau arrivée en fin de cycle dans le bassin des Cygnes (actuel bassin d'Apollon).

Le grand savant Huygens (1629-1695) critiqua ce système, qu'il jugeait très onéreux et peu rentable. En 1668, un nouveau dispositif est mis en place : désormais, les eaux de la Bièvre sont captées et refoulées par quatre moulins à vent jusqu'au sommet du plateau de Satory, d'où elles s'écoulent jusqu'à l'un des réservoirs qui alimentent le parc ; cet écoulement traverse la dépression de la pièce d'eau des Suisses en siphon, la canalisation étant pour la première fois réalisée en tuyaux de fonte, au lieu du plomb antérieurement utilisé ; le système est complété la même année par un moulin à eau actionnant des pompes qui envoient d'un seul trait les eaux de la Bièvre sur le plateau de Satory. Mais, malgré leur ingéniosité, tous ces systèmes se révélaient bien imparfaits, et les pompes, très sollicitées, entraînaient de multiples accidents, ruptures, cassures…

À l'automne 1673, en pleine guerre de Hollande, Colbert informe le roi des difficultés. Louis XIV répond aussitôt : « Il faut faire en sorte que les pompes de Versailles aillent bien, surtout celles du réservoir d'en haut ; que lorsque j'y arriverai, je les trouve en état de ne pas me donner de chagrin en se rompant à tout moment. » « Le Roy veut que » : c'est ainsi que Colbert commence les paragraphes de ses multiples mémoires concernant l'aménagement de Versailles.

Et le souverain s'intéresse à chaque détail technique, notamment ceux qui concernent la maîtrise de l'eau : « Quand toutes ces pompes seront achevées, vous ferez une épreuve des huit fontaines que vous avez éprouvées et vous y joindrez les deux dernières du parterre, car elles doivent toujours aller aussi afin que je

Les fontaines de Versailles étaient actionnées lors des promenades de Louis XIV et de sa cour dans les jardins. Mais, sitôt le souverain parti, on fermait les vannes pour économiser l'eau et le fragile réseau de canalisations.

LES DENIS, UNE DYNASTIE DE FONTAINIERS

Tout un corps de fontainiers travailla à la construction et à l'entretien des pompes, réservoirs et fontaines de Versailles. De véritables dynasties se fondèrent. Si les Francine furent les plus célèbres, les Denis jouèrent, eux aussi, un rôle central dans la capture des eaux.

règle là-dessus le temps qu'elles devront aller et la grosseur des jets. » Au début des années 1680, une machine, appelée machine de Marly, fut conçue pour refouler en trois paliers successifs l'eau de la Seine vers l'aqueduc de Louveciennes au moyen de deux cent cinquante-neuf pompes réparties aux différents étages, mues par un système de doubles chaînes que leur transmettait l'énergie hydraulique du fleuve. La machine, qui couvrait de ses mouvements bruyants tout le coteau de Bougival, fut considérée pendant plus d'un siècle comme l'une des merveilles du monde. Mais c'était toujours insuffisant : on envisagea de détourner la Loire, de faire venir les eaux de l'Eure par un immense aqueduc…

Des sommes énormes furent ainsi englouties pour assouvir la passion du roi : au temps de Louis XIV, le nombre des jets d'eau de Versailles se montait à plus de mille quatre cents. Aujourd'hui, il ne dépasse pas quatre cent soixante. Mais le jeu des Grandes Eaux de Versailles est toujours un spectacle d'ingénieuses merveilles : l'homme ici a bien « forcé la nature » pour recréer un nouvel équilibre de lignes et de formes.

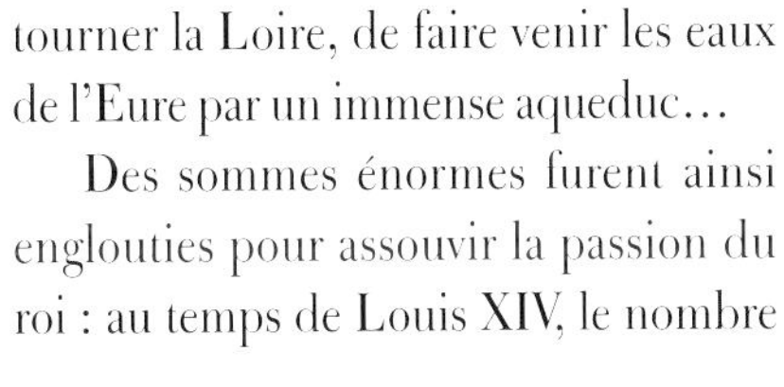

Les Grandes Eaux de Versailles font encore aujourd'hui le bonheur des visiteurs du château. Cette mise en scène somptueuse laisse imaginer quel enchantement pouvaient éprouver les contemporains de Louis XIV à la vue des jeux d'eau.

Claude Denis, sous Louis XIII, fut l'ancêtre d'un autre Claude Denis, qui remplaça, en 1670, Denis Jolly dans l'entretien des pompes. Claude Denis écrivit en vers une *Explication de toutes les grottes, roches et fontaines du château royal.* Son fils lui succéda, puis son petit-fils, Étienne Denis.

Ci-dessus : le bassin d'Apollon est l'un des points centraux du jardin de Versailles : sans la présence de ces puissants jets, on peut difficilement saisir le caractère symbolique de l'ensemble sculpté par Tuby, *Apollon sur son char.*

Arbres, fontaines et labyrinthe

L'année 1668 voit l'intensification des travaux dans le parc de Versailles : des plantations massives, la construction du bassin de Latone, la mise en place d'un labyrinthe pour l'amusement et l'enseignement du Dauphin, qui vient d'avoir 7 ans.

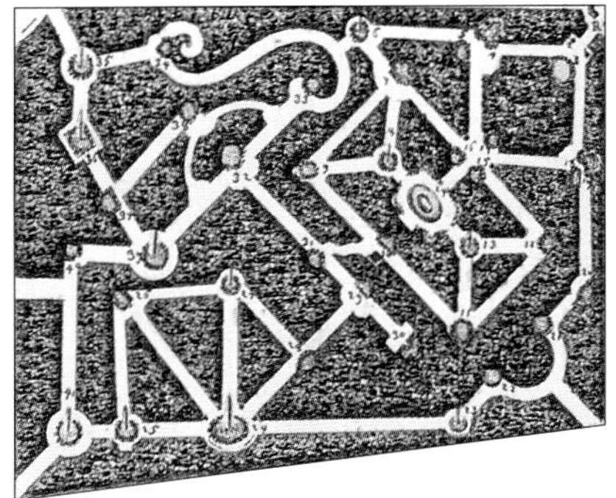

Plan du labyrinthe dans les jardins de Versailles : chaque cul-de-sac recelait des fontaines ornées de groupes d'animaux peints au naturel.

Ci-contre : *les Paysans de Lycie transformés en grenouilles*, par Pietro Paolo Bonzi (v. 1576-1636).

De 1668 à 1672, des plantations massives sont effectuées à Versailles. Elles se traduisent par l'apport de cent trente mille arbres.

Cette plantation doit être associée à la grande « réformation forestière » entreprise par Colbert en 1669, dont le but est d'inventorier, de revaloriser la forêt française et d'en optimiser la gestion. André Le Nôtre applique de strictes règles d'assemblage, de disposition, de densité à cette masse végétale (conformément au traité de Boyceau de La Barauderie) : le parc, avec sa codification, son classement des variations végétales et leur disposition graduée, institue en quelque sorte un « zonage ». Le tout forme des espaces de transition savamment ordonnés entre l'architecture du bâtiment et la campagne ou la forêt.

En 1668 toujours, les frères Marsy réalisent le groupe de sculptures *Latone et ses enfants*. Cet ensemble est placé du côté des jardins, face au palais ; il est modifié en 1687 par Jules Hardouin-Mansart : sculptures réparties en trois cercles, groupe de *Latone et ses enfants* exhaussé. Latone et ses enfants, au lieu de regarder vers le château, regardent vers le Grand Canal.

On a reconnu parfois dans ce groupe une allusion aux événements de la Fronde : Latone, maîtresse de Jupiter, fuyant la colère de Junon, avec ses deux enfants nouveau-nés, Diane et Apollon, serait Anne d'Autriche, les enfants ses deux fils (ce sujet est traité en marbre, matériau noble) ; les frondeurs seraient les paysans de Lycie, coupables de leur avoir refusé assistance, transformés en crapauds et en grenouilles (ce sujet est traité en plomb, matériau vil). En fait, rien ne permet de justifier une telle interprétation : aucun texte contemporain, en particulier les multiples « explications » des statues de Versailles, n'établit la moindre liaison avec les événements de la Fronde dans les années 1648-1652. Si l'histoire de Latone a été retenue, c'est qu'il s'agit d'un épisode important dans l'histoire d'Apollon qui parcourt

Un détail de la statuaire dans la grande fontaine de Latone. Ici, une paysanne de Lycie entourée par ses congénères transformés en crapauds.

l'ensemble de l'axe est-ouest (le sens apparent de la course du Soleil) à Versailles. Du reste, cette année-là, l'axe est complété par la création, œuvre de Tuby, de l'ensemble de sculptures représentant Apollon sur son char (achevé en 1670) : le jeune dieu, éclatant de beauté, est montré jaillissant des eaux dans un concert de vingt-huit jets et de trois fleurs de lis, tiré par quatre chevaux, accompagné de quatre dauphins et de quatre tritons soufflant dans leur corne dans les quatre directions. Le Soleil (Apollon) s'élance pour sa course diurne au-dessus de la Terre.

Ces deux sculptures mettent ainsi en valeur l'axe apollinien, est-ouest, qui commande toute la structure des jardins, jusqu'au château (*Apollon sur son char*, *Latone et ses enfants*, statues d'Apollon et de Diane, la sœur d'Apollon, sur la façade.

À l'ouest du parterre du Midi, en cette même année 1668, un labyrinthe est construit, qui n'existe plus aujourd'hui : des allées droites ou courbes, assez étroites, bordées de hautes charmilles, se coupaient et se recoupaient pour former trente-neuf carrefours. L'idée du labyrinthe de Versailles, des-

Cette vue du château depuis le bassin d'Apollon met parfaitement en valeur l'axe apollinien est-ouest, qui commande la structure des jardins. Au loin, le bassin de Latone se pose comme le point central de cette gigantesque perspective.

LES FABLES STATUFIÉES DU LABYRINTHE

Le Duc et les Oiseaux; les Coqs et la Perdrix; le Coq et le Renard; le Coq et le Diamant; le Chat pendu et les Rats; l'Aigle et le Renard...
Quelque trente-neuf fables d'Ésope étaient illustrées par des statues disséminées dans le labyrinthe.

tiné à l'éducation (et à l'amusement) du Dauphin, qui vient alors d'avoir 7 ans, semble due à Charles Perrault. Trente-neuf fontaines, placées à chaque carrefour, illustraient des fables d'Ésope. Les animaux, en plomb, étaient peints au naturel et tous les décors colorés, y compris le fond des bassins, tapissés de coquillages. Le début de la construction du labyrinthe est contemporain de la parution des six premiers livres des *Fables* de La Fontaine (1668). Bossuet aimait venir enseigner là au Dauphin.

À l'entrée du labyrinthe se dressaient deux statues : celle d'Ésope et celle de l'Amour tenant un peloton de fil. Félibien explique que ce peloton de fil « marque que ce fut lui qui inspira ce moyen à Ariane, fille de Minos, roi de Crète, pour délivrer Thésée, prince d'Athènes, du labyrinthe qui avait été inventé par Dédale pour enfermer un monstre nommé le Minotaure ».

À l'entrée du labyrinthe se dressent deux statues : Ésope, à gauche, fait face à l'Amour tenant le fil d'Ariane.

Page de droite : c'est à Jean Cotelle (1642-1708) que l'on doit la plupart des représentations allégoriques des bosquets de Versailles. Dans nombre de ses œuvres, comme celle-ci, thèmes mythologiques et champêtres côtoient une vision à peine idéalisée de la végétation.

Le bassin de Latone existait déjà à l'époque de Louis XIII, mais c'est vers 1668 que l'on y plaça le groupe sculpté de *Latone et ses enfants*.

Chaque groupe représentait la fable et sa morale : les animaux étaient placés dans des situations familières, voire triviales, où s'exprimaient les faiblesses et la mesquinerie des hommes. La morale du *Duc et les Oiseaux* est ainsi tournée :

« Les oyseaux en plein jour
Voyant le duc paroistre
Sur luy fondirent tous à son hideux
aspect
Quelque parfait qu'on puisse estre
Qui n'a pas son coup de bec. »

... et celle des *Coqs et la Perdrix* :

« La perdrix bien battue eut un dépit
extrême
Que les coqs peu galants
la traitassent ainsi
Depuis voyant qu'entre eux
Ils en usoient de même
Patience dit-elle, ils se battent aussi. »

18 juillet 1668

Le roi Apollon

Une allégorie de la paix d'Aix-la-Chapelle peinte sur le plafond de la galerie des Glaces.

La signature de la paix d'Aix-la-Chapelle, en 1668, met fin à la guerre de Dévolution (1667-1668). Cette paix proclamée est l'occasion d'une nouvelle fête, éblouissante et fastueuse, dans les jardins de Versailles : le Grand Divertissement royal.

Il ne s'agit plus de célébrer le roi à travers un héros fabuleux comme lors de la fête des Plaisirs de l'île enchantée, quatre ans plus tôt, mais de fêter directement (outre un hommage à la marquise de Montespan) la gloire d'un jeune roi victorieux et pacificateur.

André Félibien, témoin des fastes de Versailles, écrivit une *Relation de la fête de 1668*, illustrée ensuite par des gravures de Lepautre. Il présente la fête comme une compensation du carnaval interrompu par la conquête de la Franche-Comté, à laquelle le roi participa en personne. Le programme fut plus resserré, mesuré et structuré que celui de 1664 : une collation magnifique, présentée sous la forme de pyramides dans trente-six corbeilles

Ci-contre : Françoise Athénaïs de Rochechouart, marquise de Montespan, était la favorite du roi au moment du Grand Divertissement royal.

Festin donné dans le petit parc de Versailles à l'occasion du Grand Divertissement royal. Surplombant la table chargée de corbeilles de fruits, un rocher porte Apollon, une lyre à la main, accompagné des Muses.

Cette gravure de Lepautre présente l'illumination du château et des jardins. Dans sa *Relation de la fête de 1668*, André Félibien ne tarit pas d'éloges sur la mobilité et le caractère grandiose des décors.

débordant d'oranges du Portugal et de toutes sortes de fruits, fut offerte à toute la cour. Puis on joua la comédie, « en musique et ballet » *(George Dandin*, de Molière, fut présenté avec une musique de Lully) ; un ballet suivit, puis un souper et un magnifique feu d'artifice, qui embrasa les jardins et le château. André Félibien a décrit l'admiration des courtisans devant la métamorphose incessante des lieux lors de cette journée mémorable : les ordres ont été exécutés avec tant de diligence, notamment pour les changements de décors, l'apparition des fontaines, des figures mobiles, que tous parlèrent de « miracles ».

Fête de l'ostentation, de la dépense, de la surprise des sens, le Grand Divertissement royal est tout à fait représentatif du premier Versailles, celui des jardins baroques, du ravissement et de l'illusion. Autour du château de

Le thème du Roi-Soleil présenté sous les traits d'Apollon est abondamment développé dans la statuaire des fontaines, comme ici, *Apollon sur son char* surgissant des eaux.

LA PREMIÈRE GUERRE DE LOUIS XIV : LA GUERRE DE DÉVOLUTION (1667-1668)

Après la mort du roi d'Espagne Philippe IV, le 17 septembre 1665, Louis XIV réclama pour la reine Marie-Thérèse, fille aînée du défunt, en vertu du « droit de dévolution » (une coutume du Brabant que les juristes français avaient exhumée et qui donnait aux enfants du premier lit la propriété des biens paternels, à l'exclusion des enfants du second lit), des villes et des territoires au nord et à l'est du royaume : le Brabant, la Haute-Gueldre, le Luxembourg, Mons, Anvers, Cambrai, Malines, Limbourg, Namur et la Franche-Comté. De plus, la dot prévue par le traité des Pyrénées, 500 000 écus en or, n'avait pas été payée par l'Espagne. Le roi prit la tête de l'armée et, à partir de mai 1667, les prises de villes se succédèrent, parfois sans combat : Bergues, Furnes, Ath, Tournai (25 juin), Courtrai, Audenarde (juillet), Alost. Après un bref siège, Lille tomba le 27 août. Vauban fut chargé, l'année suivante, de construire la citadelle de Lille. En janvier 1668, l'empereur Léopold Ier, aux prises avec une révolte des grands seigneurs hongrois, accepta de signer avec Louis XIV un traité prévoyant un partage éventuel de la succession d'Espagne qui laisserait à la France les Pays-Bas. Pour faire barrage à la France, l'Angleterre et la Hollande, en guerre, signèrent la paix, et les deux puissances conclurent une alliance à laquelle se joignit la Suède (Triple-Alliance de La Haye), qui proposa sa médiation. Du 1er au 19 février 1668, le prince de Condé entreprit la conquête ➢

Louis XIV s'expose au feu de l'ennemi (à droite en arrière-plan) dans la tranchée du siège de Tournai, en juin 1667.

Louis XIII, les jardins aménagés par André Le Nôtre, peuplés de fontaines, de bassins et de statues, proposent le cadre idéal pour un divertissement qui célèbre la nature, mais une nature recréée, artificielle, à laquelle commande le souverain, comme l'image de la « réduction à l'obéissance » entreprise dans toutes les provinces d'un royaume pacifié. Les représentations de cette nature soumise au roi y sont de deux ordres : mythologique, avec Pan, Flore et Pomone, les satyres et les faunes, les tritons et les nymphes ; cosmique, avec les figures du temps (les quatre saisons, les douze mois, avec les signes du zodiaque, les quatre parties du jour) et celles des espaces (les quatre parties du monde, les quatre fleuves). Sur ce peuple de dieux et de déesses, sur les éléments et les saisons, règne sans partage un dieu-solaire : Apollon, dieu soleil, que tous identifient à Louis XIV.

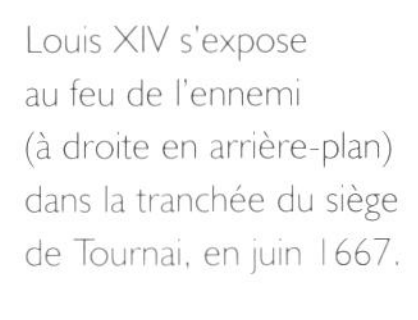

Apollon est apparu deux fois au cours de la fête : d'abord, figuré sur le rocher placé au centre de la salle du souper, la lyre à la main et accompagné des Muses, puis au plus haut de la façade du château illuminé, symbo-

Dans les jardins, sous le regard du dieu Apollon, quatre statues allégoriques des saisons (ici, *l'Hiver*) forment le cycle de l'année : le Roi-Soleil est plus que jamais le grand ordonnateur du temps et de la nature.

➢ éclair de la Franche-Comté. Le roi présida en personne les sièges de Dole et de Gray. Besançon se rendit. La France se trouvait ainsi en situation de force pour négocier. Par ailleurs, Louis XIV redoutait la ligue entre l'Angleterre, la Hollande et la Suède, ce qui accéléra les négociations. Le 2 mai 1668, par la paix d'Aix-la-Chapelle, Louis XIV restituait la Franche-Comté, mais il gardait une partie de la Flandre espagnole, en particulier douze places fortes destinées à renforcer la frontière : Lille, Bergues, Furnes, Armentières, Courtrai, Menin, Douai, Tournai, Ath, Audenarde, Binche, Charleroi.

La riche statuaire, placée dans le parc du château, fixe dans la pierre l'autorité du souverain sur la nature et les saisons. *L'Automne*, à gauche, et *Pan*, à droite, sont deux des nombreuses figures traduisant ce pouvoir démiurgique.

liquement signifié par un « Soleil avec des lyres et d'autres instruments ayant rapport à Apollon ». Ainsi, en installant cette illusion apollinienne dans un jardin de magie, la fête exprime tout à la fois les rêves nostalgiques d'une noblesse encore attachée à l'imaginaire antiquisant, mythologique et pastoral, mais aussi la volonté du roi d'imposer les règles qui fondent désormais la vie des courtisans, spectateurs passifs de sa propre gloire.

La ville de Douai, conquise par Louis XIV et son armée en juillet 1667, est l'une des douze places fortes acquises au lendemain de la paix d'Aix-la-Chapelle, en mai 1668.

1668-1669

« L'enveloppe de pierre »

Versailles ne pouvait être simplement une résidence abritant les réjouissances du souverain et de sa cour : pour exercer pleinement son métier de roi, Louis XIV décida que le château devait être agrandi. Mais que faire du château déjà démodé de Louis XIII ?

L'« enveloppe de pierre » telle que l'on peut la voir aujourd'hui impose au regard du visiteur ses vastes proportions.

C'est au moment de la paix d'Aix-la-Chapelle que Louis XIV décide de faire de Versailles sa résidence favorite et, surtout, d'agrandir le château pour pouvoir y loger plus commodément. Il souhaite également y accueillir les membres du Conseil royal pendant ses séjours de plusieurs jours.

Un plan de Le Vau fixe les étapes successives de la transformation du palais, entre juillet 1668 et juin 1669, date de l'adoption définitive du plan. En effet, après de nombreuses hésitations (fallait-il détruire le château existant?), le roi choisit, en 1669, le projet de Le Vau. Ce dernier a conçu, côté jardin, une « enveloppe de pierre » (le terme est de Colbert) autour de bâtiments de Louis XIII que le roi a tenu, finalement, à conserver, peut-être par piété et fidélité filiale.

En juin 1669 débute la mise en œuvre de la construction de cette « enveloppe de pierre » autour du château primitif, qui se trouve ainsi enchâssé dans un nouveau palais dont les façades s'étendent devant les jardins, à l'ouest, au nord et au sud. Côté ville, à l'est, le vieux bâtiment reste visible. Saint-Simon dénoncera ce mariage, qu'il estime contre nature, « du vaste et de l'étranglé ». Le chantier prend des proportions inédites : plus de cinq cents ouvriers y travaillent. Les dépenses de maçonnerie s'élèvent à 335 000 livres en 1669, 586 000 livres en 1670, 428 500 livres en 1671, date à laquelle s'achèvera le gros œuvre.

L'aile du Nord poursuit et prolonge le style architectural de l'« enveloppe de pierre ».

La façade, sans toit, du nouvel édifice, étonne les contemporains. Saint-Simon, toujours critique, le décrit comme un « palais qui a été brûlé, où le dernier étage et le toit manquent encore ». L'ensemble s'inspire du palais du Luxembourg (pour les bossages), du pavillon Lescot du Louvre (pour les baies du rez-

Le petit château de brique et de pierre (ci-dessous) de Louis XIII devait-il ou non être détruit? Adoptant le projet de Le Vau, Louis XIV décida finalement de conserver les bâtiments primitifs et de les intégrer au nouveau palais.

« L'ENVELOPPE DE PIERRE » : LE CHOIX DU ROI

Le mois de juin 1669 marque le début de la mise en œuvre de la construction de « l'enveloppe de pierre », autour du château primitif. Il y eut de nombreuses hésitations, de nombreux projets, proposés notamment par Vigarani, Gabriel, Le Vau, avec l'idée, soutenue par Colbert, de détruire le château démodé de Louis XIII. Louis XIV, un moment, accepta la destruction du bâtiment originel, pour finalement se rétracter. Charles Perrault a bien expliqué les termes du débat :

« On proposa au Roi d'abattre ce petit château [le château de Louis XIII] et de faire à la place des bâtiments qui fussent de la même nature et de la même symétrie que ceux qui venaient d'être bâtis. Mais le Roi n'y voulut point consentir. On eut beau lui représenter qu'une grande partie menaçait ruine, il fit rebâtir ce qui avait besoin d'être rebâti, et se doutant qu'on faisait ce petit château plus caduc qu'il n'était pour le faire résoudre à l'abattre, il dit, avec un peu d'émotion, qu'on pourrait l'abattre tout entier, mais qu'il le ferait rebâtir tout tel qu'il était, et sans y rien changer. »

Ci dessus, cette vue du château, datée de 1675, montre la façade du corps central avant la construction de la galerie des Glaces en 1679 et une vision quelque peu fantaisiste du parterre d'eau après le projet non abouti de Le Brun.

Ci-dessous, la façade sans toit du nouvel édifice étonna fortement les contemporains de Louis XIV. Elle contraste indéniablement avec celles, couvertes, de l'aile des Ministres (ci-dessous à droite) et des Grandes Écuries (ci-contre à droite).

de-chaussée ouvertes dans des arcades), du château Neuf de Saint-Germain-en-Laye (pour la toiture), de la villa Borghèse élevée à Rome au début du siècle (pour la grande terrasse centrale bientôt remplacée par la galerie des Glaces).

Cette enveloppe facilite l'aménagement de cours intérieures (il sera réalisé par François D'Orbay après la mort de Le Vau en 1670) et agrandit considérablement l'espace et le nombre des pièces d'apparat et de parade. Elle permet ainsi un déploiement du cérémonial de cour et forme définitivement le grand corps central de bâtiments que Jules Hardouin-Mansart utilisera après la paix de Nimègue (1678) comme pivot de son agrandissement monumental : de part et d'autre, sur les jardins, les ailes du Midi et du Nord (1678-1682 ; 1685-1688) ; vers la ville, les deux ailes des Ministres (années 1670), puis les Grandes et Petites Écuries (1679-1688).

1670

Le Trianon de porcelaine

« Pour passer quelques heures du jour pendant le chaud de l'été », comme l'explique Félibien, le roi décida de construire un petit palais décoré de faïence bleu et blanc au fond du parc. Les contemporains l'appelèrent le « Trianon de porcelaine ».

Situé au nord-ouest du parc, à une demi-lieue du château, le Trianon de porcelaine, édifié pour Mme de Montespan, est la dernière œuvre de Le Vau. Ce palais, nous dit Félibien, fut regardé par tout le monde comme un « enchantement », parce que commencé à la fin de l'hiver 1669-1670, il se trouva achevé au printemps « comme s'il fut sorti de terre avec les fleurs des jardins qui l'accompagnent ».

Le pavillon principal, à un seul étage, à la façade percée de sept fenêtres, ne compte que deux appartements de repos, de plain-pied avec la cour d'entrée et les jardins. Il est précédé de quatre autres pavillons plus petits servant de communs. La modestie de la construction indique bien qu'il s'agit avant tout d'un lieu de détente, but et halte de promenade dans le parc. À l'extérieur comme à l'intérieur, les pavillons sont traités « à la chinoise », grâce à des plaques et des ornements de faïence, que l'on confondait alors avec la porcelaine. Importés de Hollande, mais aussi fabriqués à Saint-Cloud, les carreaux bleu et blanc recouvrent les murs et pavent les cours.

Le Trianon de porcelaine peut être considéré comme la première en date de toutes les « chinoiseries » de l'architecture française : le commerce avec l'Asie, stimulé par la création de la Compagnie française des Indes orientales en 1664, les *Relations* des jésuites de Pékin, quelques récits de voyage viennent de mettre le Céleste Empire à la mode : les laques, les porcelaines, les étoffes et les peintures chinoises sont alors recherchées avec beaucoup d'ardeur par les riches fortunes du royaume.

Ce qui exalte encore la beauté du Trianon de porcelaine, c'est la luxuriance des créations florales : dès 1670, pour obtenir cette eau précieuse qui fait tant défaut à Versailles, on construit des moulins à vent qui élèvent l'eau de l'étang de Clagny et la conduisent à Trianon. Partout des fleurs et des arbres fruitiers (des orangers de pleine terre

Achevé au printemps 1671, le Trianon de porcelaine accueillit en 1674 un épisode des réjouissances du Grand Divertissement royal. On y joua *l'Églogue de Versailles*, un intermède musical écrit par Philippe Quinault (en médaillon) et Lully.

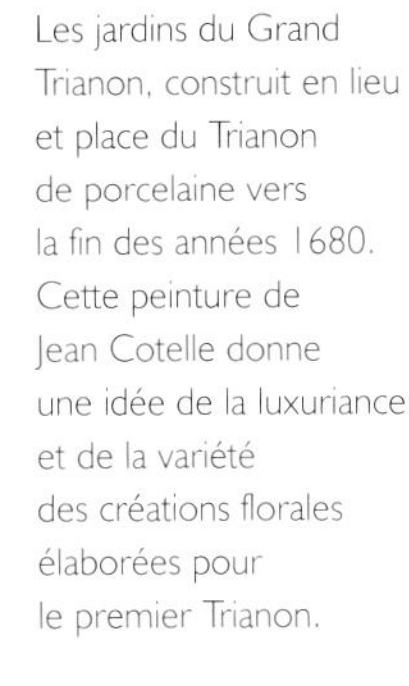

Les jardins du Grand Trianon, construit en lieu et place du Trianon de porcelaine vers la fin des années 1680. Cette peinture de Jean Cotelle donne une idée de la luxuriance et de la variété des créations florales élaborées pour le premier Trianon.

Le Trianon de porcelaine comprenait à l'origine deux pièces meublées « à la chinoise » que séparait un salon central : l'appartement de Diane (ci-dessus) et l'appartement des Amours, dont les murs intérieurs et extérieurs étaient ornés de faïence bleu et blanc.

notamment), savamment entretenus par le jardinier Le Bouteux, symbolisent abondance et créativité, comme une nouvelle image du pouvoir du roi, capable de féconder la nature en toute saison.

La seconde journée des fêtes de 1674 a lieu le 11 juillet, au Trianon. Au milieu d'une quantité prodigieuse de fleurs, disposées dans l'une des allées du jardin, on chante *l'Églogue de Versailles*, un intermède de Lully et de Quinault. En 1686, les ambassadeurs du Siam visitent le palais. Le cabinet des parfums, exhalant mille odeurs d'essences de fleurs, leur plaît particulièrement.

Mais cette année-là, ce palais éphémère est détruit pour faire place au Trianon de marbre de Mansart. Les goûts de Louis XIV ont de nouveau imposé leur impérieuse loi!

L'ORANGERIE : LA VICTOIRE SUR LES SAISONS

L'Orangerie était le bâtiment le plus curieux du Trianon : un jardin de fleurs et d'agrumes plantés par Le Bouteux, jardinier spécialement affecté pour réussir l'exploit de faire naître des fruits et des fleurs en plein hiver. Et le roi prend bien soin de donner à son jardinier des consignes très précises, comme celle-ci, datée d'octobre 1674 : « Voir que Le Bouteux aye des fleurs pour le Roy pendant tout l'hiver. » Claude Denis en quelques vers a décrit l'étonnement des courtisans devant ce magnifique jardin d'hiver.

« Mais ce qui me surprend,
et qui doit surprendre,
C'est de voir un effet difficile
à comprendre ;
Un printemps agréable, au milieu
de l'hiver,
Aux plus grandes rigueurs
incessamment ouvert.
Pendant que les frimas règnent
dessus la terre,
On voit de belles fleurs briller
en ce parterre ;
L'on y rencontre aussi plusieurs
beaux espaliers,
Composés d'orangers, citronniers,
grenadiers,
Qui, chargés de citrons,
de grenades, d'oranges,
Font de fleurs et de fruits
d'agréables mélanges,
Et, contentant l'esprit aussi bien
que les sens,
Font goûter en ce lieu des plaisirs
innocents... ».

1668-1672

La flotte du Grand Canal

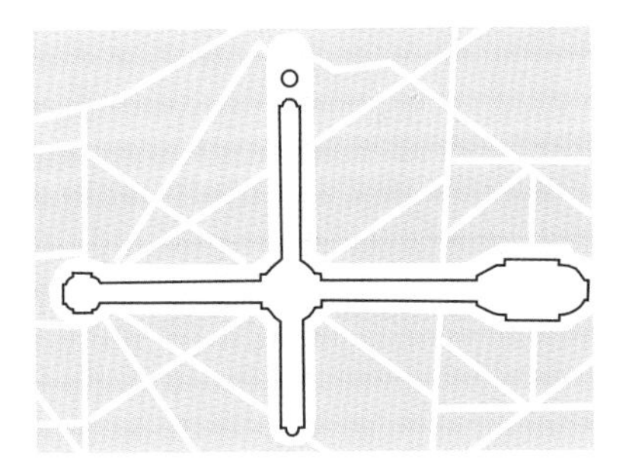

L'un des plus grands plaisirs de Louis XIV et de la cour est de goûter aux joies nautiques sur une eau parfaitement docile, celle du Grand Canal, qui prolonge la perspective majeure du château vers un lointain Occident.

Le Grand Canal permit à Louis XIV de s'offrir, grâce à une flotte miniature, l'illusion de la maîtrise des mers et des océans. Il n'était pas rare, durant les rudes hivers que connut le règne, de voir des traîneaux glisser sur la surface gelée de ce gigantesque bassin.

Le Grand Canal est la plus extraordinaire pièce d'eau de Versailles. C'est en 1667 qu'il commence à être creusé, après que Colbert eut consulté à ce sujet l'Académie des sciences, qu'il avait créée l'année précédente : l'abbé Picard, l'un des membres de l'Académie, vint sur place muni du premier niveau à lunette, un appareil de son invention capable de mesurer avec une grande précision les déclivités du terrain. Le creusement du Grand Canal est réalisé en deux étapes : 1668-1669, puis 1671-1672; les derniers aménagements se terminent en 1679 par la construction de rampes qui mènent au Trianon. Le Grand Canal achevé mesure 1 800 mètres dans le sens ouest-est, 1 500 mètres dans le sens nord-sud, pour 60 mètres de large.

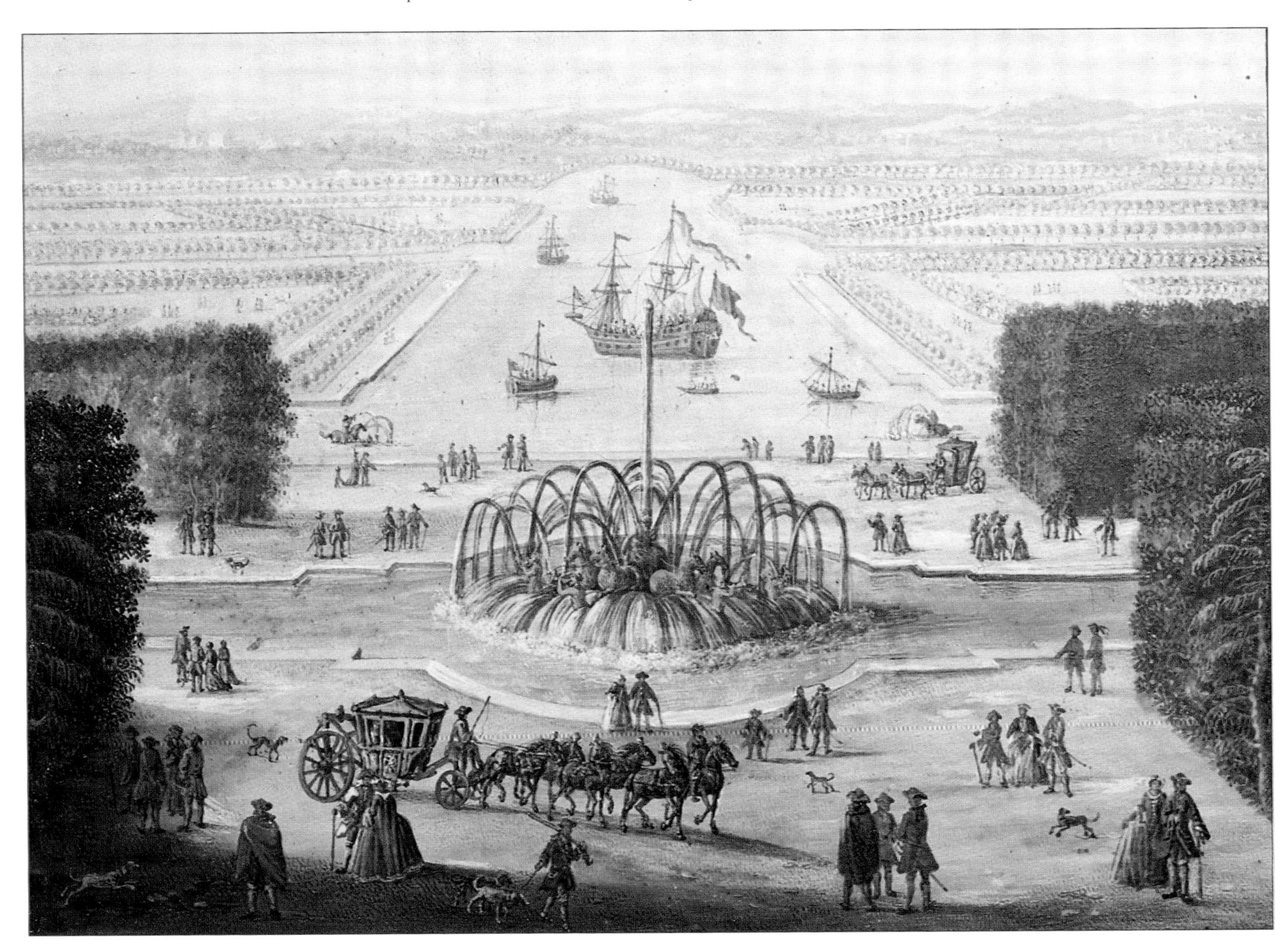

Le Grand Canal est bientôt doté, au fil des ans, d'une véritable flotte en miniature : deux chaloupes (une de Biscaye et une dunkerquoise), une galiote (construite au Havre en 1669 et armée de trente-deux petits canons), une petite frégate (dont le gabarit fut adopté par les grands vaisseaux de ligne, ce qui explique son nom : la *Modèle*), deux yachts anglais, deux gondoles dorées, offertes par la Sérénissime République de Venise (ainsi que leurs gondoliers attitrés), plusieurs felouques napolitaines et provençales, des piotes et des yoles, des heus de Hollande, et même une galère spécialement commandée

C'est à partir de 1667 que l'allée Royale, conduisant aujourd'hui du bassin de Latone au Grand Canal, fut élargie. À cette époque, le Canal n'existait pas encore mais les travaux de creusement n'allaient pas tarder à débuter. Les dimensions de l'actuel Tapis vert (l'allée bordée d'arbres) furent fixées au moment du chantier et n'ont pas été modifiées depuis.

COMMENT LIRE ET COMPRENDRE LES IMAGES DE VERSAILLES ?

Les images, parfois, vieillissent mal. C'est le cas de nombreux tableaux du XVIIe siècle dont la signification nous est devenue mystérieuse et étrangère. Du reste, même les contemporains n'étaient pas toujours capables de les déchiffrer. Ainsi, au XVIIIe siècle, l'abbé Du Bos, auteur de *Réflexions sur la poésie, la peinture et la musique,* se plaignait de ne rien comprendre aux allégories présentes dans les tableaux et la statuaire du château et des jardins de Versailles, « énigmes plus obscures que celles du Sphinx ». Aussi, pour tenter de retrouver le sens de toutes les figures qui prennent place sur les murs ou dans le parc du château, il nous faut reconstituer la culture des images en vigueur sous le règne du Roi-Soleil et qui, entre-temps, sont devenues pour nous réellement énigmatiques. À cette époque, en effet, l'élite cultivée utilisait couramment les images pour lire et comprendre le monde qui l'entourait. Elle savait reconnaître dans les sculptures, les bas-reliefs et les peintures un langage dont l'alphabet était constitué par des figures mythologiques et allégoriques (le mot allégorie vient d'ailleurs du grec *allos agorein,* qui signifie « parler autrement »). L'allégorie, cet « autre langage », était en particulier très présente dans le système éducatif des collèges jésuites. Cesare Ripa, un lettré italien spécialiste des images, rédigea le code du langage allégorique en 1593 dans son *Iconologia,* ouvrage traduit ➤

Le salon de Vénus constituait sous Louis XIV l'entrée principale du Grand Appartement. Il ouvrait également sur l'escalier des Ambassadeurs, détruit au siècle suivant. Les murs lambrissés de marbre encadrent, dans une alcôve, la statue du monarque vêtu à l'antique sculptée par Jean Varin.

Roxane, il chasse le lion, il reçoit une ambassade indienne, il est avec Aristote, avec Porus. Auguste, quant à lui, apparaît quatre fois : il est dans le cirque, il reçoit une ambassade, il fait bâtir Misène, il règle les dépenses de l'État. Cyrus apparaît trois fois : il s'arme pour secourir une princesse, il chasse le sanglier, il harangue les troupes. César, Ptolémée Philadelphe, Alexandre Sévère n'apparaissent que deux fois : le premier envoie une colonie à Carthage et passe en revue ses légions, le deuxième est dans la bibliothèque d'Alexandrie et rend la liberté aux Juifs, le troisième détruit une légion et distribue du blé au peuple. Marc Antoine, Vespasien, Coriolan, Trajan, Constantin, Jason, Démétrios Poliorcète, Solon, Nabuchodonosor sont montrés une fois.

Toutes ces scènes forment les pages d'un véritable traité de bon gouvernement en images, et ce bon gouvernement ne peut être que celui du roi. Charles Perrault explique que, dans les tableaux, sont représentées des actions des plus grands hommes de l'Antiquité, chacun ayant un rapport avec la planète qu'il accompagne, et ces actions, ajoute-t-il, sont tellement semblables aux

À gauche : un détail de l'abondante décoration du plafond due à René Antoine Houasse dans le salon de Vénus : *Neptune enlevant Coronis* est l'une des allégories symbolisant les quatre Éléments (ici, l'*Eau*).

Dans le salon de Vénus, cette peinture en trompe-l'œil prolonge les éléments décoratifs de la pièce, les colonnes ioniques à base et chapiteau dorés.

➢ et adapté en français par Jean Baudoin entre 1636 et 1644 sous le titre *Iconologie ou explication nouvelle de plusieurs images, emblèmes et autres figures.* Ce livre-dictionnaire propose un répertoire commode pour utiliser et déchiffrer les figures allégoriques et leurs attributs (par exemple, la branche d'olivier représente la paix, la trompette symbolise la gloire, la louange ou la renommée…). Il offre ainsi les règles d'une science permettant d'exprimer notamment des idées politiques par l'intermédiaire d'images.

Ce principe n'est en rien nouveau ni original. Inscrite dans la longue durée, destinée aux contemporains autant qu'aux générations à venir, l'allégorie est en effet un procédé habituel utilisé depuis fort longtemps dans l'Occident chrétien. Traditionnellement, l'image constitue les bases d'un raisonnement qui s'appuie sur la comparaison.

Pierre l'Anglois, dans son *Discours des hieroglyphes aegyptiens, emblèmes, devises et armoiries,* insistait en 1583 sur la supériorité de ce mode ancestral de communication des idées. Pour mieux se faire comprendre, il utilise l'exemple de Jésus qui « parlait en paroles, couvrant ses divins et secrets mystères sous la divine couverture d'un sens mystique, pour déclarer ce qui nous était caché ».

À l'écriture commune et ordinaire Pierre l'Anglois oppose tout un champ d'expression du sacré, censé remonter « aux premiers et plus heureux siècles ». Ce type de langage aurait été inventé par les prêtres et les sages ➢

1674, LE PREMIER LONG SÉJOUR DU ROI À VERSAILLES

Cette année-là est marquée par le premier long séjour du roi à Versailles : il y reste de juillet à octobre. Primi Visconti, un aventurier italien bien introduit dans les milieux de la cour, a écrit de précieux *Mémoires* qui décrivent ce premier Versailles désormais achevé. « Pour parler un peu de Versailles, le palais m'a paru inférieur à beaucoup d'autres de Paris, et cependant il est d'une ampleur sans pareille. L'abbé de Suze me disait que cela provenait de ce qu'un simple maçon, pour peu qu'il plaise au ministre, est déclaré excellent architecte, et pourvu qu'il soit au Roi, tout le monde veut l'avoir [...]. Pour le jardin avec ses fontaines, c'est une chose merveilleuse. Un certain Le Nôtre en est le dessinateur, et il faut d'autant plus s'en étonner qu'il a tracé le tout sans école, et seulement de son propre génie, car il n'était auparavant qu'un simple jardinier. Le fontainier est un certain Francini [...]. Il coûte beaucoup au Roi, parce que, pour exécuter les plans de Le Nôtre, il est fort ignorant. Rien que pour les aqueducs, il est cause que l'on a mis sous terre du plomb pour plus de sept millions de valeur [...]. La dépense pour faire venir l'eau des étangs est bien pire. On a construit des moulins à vent ; mais, rien que pour un petit jet d'eau sur un terre-plein [...], on est obligé d'entretenir cent cinquante chevaux pour élever l'eau, ce qui est véritablement grand de la part du Roi, mais le fontainier fait une bien sotte figure. »

(le texte multiplie de longues énumérations descriptives), a été souvent transposée, par la suite, dans la composition de nombreux jardins, en Italie et en France.

Ce texte complexe exerça une forte influence dans les milieux humanistes du XVIe siècle et bien au-delà. Louis XIV lui-même possédait plusieurs exemplaires de cet ouvrage, offerts par Mazarin. À Versailles, l'influence artistique de l'œuvre est indéniable : Mansart lui emprunte le sujet de sa colonnade et le rêve géométrique de Cythère trouve une manière d'aboutissement dans les conceptions qu'André Le Nôtre développe dans les jardins.

Dans cette optique, le jardin de Versailles participerait ainsi au « miracle royal » de la création du monde. Du reste, la conception des jardins comme une métaphore de la création du monde transparaît bien dans le dessin d'ensemble : le jardin est en effet conçu pour être vu et compris des fenêtres du premier étage du château, c'est-à-dire de l'étage du souverain, comme si « l'œil du roi » pouvait commander de multiples effets de perspective. Confirmant l'importance de ce regard royal, le parterre d'eau qui fera face aux fenêtres de la galerie des Glaces dans les années 1680 (à la place de la Grande Commande de 1674) représente, à partir des statues des fleuves de France, les nymphes et les petits dieux des ruisseaux, un royaume en miniature, gouverné par le regard du roi. Les statues des grands fleuves (Seine et Garonne, fleuves menacés, au nord du côté du salon de la Guerre, Rhône et Loire, fleuves protégés, au sud du côté du salon de la Paix) sont

Le bassin nord du parterre d'eau est agrémenté des statues de *la Seine* (à gauche, œuvre de Le Hongre) et de *la Garonne* (à droite, sculptée par Coyzevox). Ces deux fleuves, qui trouvent leurs pendants dans le bassin sud du parterre, avec *le Rhône* et *la Loire*, sont une évocation du royaume de France.

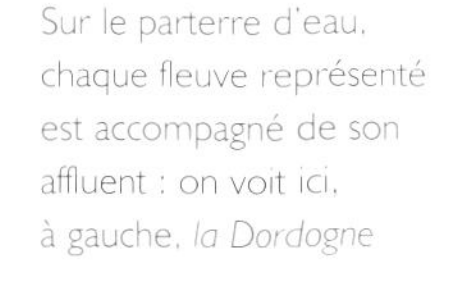

Sur le parterre d'eau, chaque fleuve représenté est accompagné de son affluent : on voit ici, à gauche, *la Dordogne* par Coyzevox, affluent de la Garonne ; à droite, *la Marne*, affluent de la Seine, par Le Hongre ; et en bas, *la Saône*, affluent du Rhône, par Tuby.

toutes en position couchée, comme pour signifier leur obéissance au maître des lieux.

Et le tout a été réalisé à partir d'une transformation totale du site original (des bois et des marécages) tenant compte du problème de la maîtrise de l'eau. Mais ce qui doit dominer dans ce regard de maître, c'est la totale discipline de l'espace naturel, son asservissement à la volonté du souverain-créateur, à l'image des ifs taillés en forme de pyramide. Tout cela se présente comme une métaphore visuelle d'un roi absolu qui a voulu, selon un mot de Saint-Simon, « forcer » la nature.

Mais il ne faut pas oublier que, derrière les formes géométriques et classiques données aux jardins et aux bâtiments, on trouve toujours une part de rêve, d'irrationnel qui provoque chez le spectateur plaisir et ravissement : les bosquets, par exemple, dissimulent des colonnades ou des fontaines; la grotte de Thétis comporte de multiples « effets » comme les jets d'eau qui aspergent les visiteurs... Ainsi, malgré cette organisation très rationnelle de l'espace, presque mathématique, l'enchantement n'est jamais loin.

Trois des statues réalisées pour la Grande Commande et disposées dans les jardins du parc de Versailles : *l'Eau* par Legros (ci-contre), *l'Air* par Le Hongre, placée près du bassin de Latone (au milieu), et *le Printemps* par Magnier (à droite).

Groupe d'enfants du parterre d'eau.

THÈMES DES PEINTURES DE LA GALERIE DES GLACES

C'est à Boileau et à Racine que l'on doit l'essentiel du texte placé, en français (une innovation), sous un grand nombre de peintures du plafond de la galerie : ces légendes, qu'elles concernent les grands ou les petits tableaux ou encore les camaïeux, aident à déchiffrer cette histoire en images du règne de Louis XIV.
Il est frappant de constater que le contenu des images varie selon leur taille : les grands tableaux sont exclusivement réservés à la guerre de Hollande et aux affaires étrangères – excepté le tableau central, pivot de l'ensemble.
On remarque que le souverain est le plus souvent présenté donnant des ordres d'action guerrière.
À deux reprises, le thème de la victoire sur une place forte a été choisi, mais, dans ces deux cas, Maastricht et Gand, l'événement est simplement suggéré par deux allégories féminines qui représentent les villes défaites : ainsi, pour la prise de la ville et de la citadelle de Gand, le roi apparaît dans un nuage, assis sur un aigle, entouré d'une aveuglante lumière, tenant un bouclier d'une main, brandissant la foudre de l'autre. Sa seule apparition ➢

Dans le salon de la Paix, *l'Europe chrétienne accompagnée de la Justice et de la Piété*, par le peintre Le Brun, symbolise la victoire récente remportée sur les Turcs.

et territoires à l'est et au nord du royaume est capable de renforcer la barrière de protection que Vauban continue patiemment à construire, à consolider, à régulariser. Mais le souverain du plus puissant royaume d'Europe n'est pas venu à bout d'une république de marchands. Et la guerre, devenue européenne, en durcissant le système « fiscofinancier » (ce sont les financiers qui contrôlent en partie le système fiscal), a accru les difficultés financières et le mécontentement, comme en témoigne la série de révoltes qui éclatent dans les années 1674-1675 en Roussillon, en Guyenne, en Bretagne. Surtout, Colbert a dû annuler la plupart de ses grands projets de réforme, et il est contraint de renoncer à l'essentiel de ses tarifs protecteurs de 1664 et 1667, ceux-là mêmes qui furent une des raisons du conflit.

Mais il faut donner le change, il faut transformer un demi-échec en succès éclatant et plus encore, en entreprise de glorification inédite à laquelle tout un peuple est convié par sa participation aux *Te deum* ordonnés dans toutes les paroisses du royaume. Il s'agit

Ce buste de Jules César est l'une des huit sculptures d'empereurs romains, faites de porphyre (pierre volcanique) et de marbre, ornant la galerie des Glaces.

Double page précédente : à la grande époque de Louis XIV, les fenêtres de la galerie des Glaces étaient drapées de rideaux en damas blanc brodés d'or, et un trône en argent était disposé devant la porte en arcade du salon de la Paix. On ne s'étonnera pas que Mme de Sévigné ait qualifié le lieu de « sorte de royale beauté unique au monde ».

Dans la Grande Galerie, les statues de marbre sont au nombre de huit : sept d'entre elles représentent des personnages tirés de la mythologie, comme ici Bacchus. La huitième est une allégorie de la pudeur.

surtout d'élaborer et de diffuser une série de textes et d'images de gloire et de grandeur consolateurs fort éloignés de la réalité. Le 24 juillet 1679, lors d'une harangue prononcée à l'Académie française, François Charpentier, lettré acquis à la cause des Modernes, fait de Louis le Grand rien de moins que le conquérant du monde : « Tout a cédé, tout s'est rendu à ses Armes invincibles, il semble que le Ciel n'eût permis l'union de tant de puissances contre la sienne, que pour lui préparer des matières de Triomphe dans toutes les parties de l'Univers. »

Décidé au lendemain de la paix de Nimègue, le programme décoratif de la galerie des Glaces constitue une véritable révolution dans la représentation du roi. Pour sacraliser la « victoire », pour l'immortaliser, une séance du Conseil secret de Sa Majesté, à laquelle participe Colbert, décide, en effet, entre la fin de l'année 1678 et le début de l'année 1679, de modifier les projets de Charles Le Brun. Ce dernier avait initialement conçu un cycle sur un thème d'Apollon ou d'Hercule (l'apothéose, pour le premier, les travaux, pour le second). Il en est décidé autrement : « Sa Majesté résolut, rappelle Nivelon, que son histoire sur les conquêtes

La Hollande en paix et tranquille reçoit le rameau d'olivier, une nouvelle allégorie de la paix et de ses bienfaits ; le salon du même nom est également une œuvre de Charles Le Brun.

➤ suffit à terrasser la cité, saisie d'effroi. Une seule peinture montre le roi-dieu en action offensive mais, là aussi, tout effet de réel a été gommé : le tableau consacré au passage du Rhin met, en effet, en scène un souverain tenant une fois encore la foudre à la main, comme Jupiter, et assis sur un étrange char de victoire à l'allure de trône, tiré par deux chevaux blancs. Entouré des trompettes de la Renommée et de femmes tendant des couronnes de victoire, il traverse l'espace, accompagné de Minerve, de la Gloire, de la Victoire et d'Hercule, qui pousse le cortège.
Nous sommes proches ici des fêtes de cour ou des grandes machines du théâtre et des ballets baroques du début du règne. S'opposant à la thématique des grandes compositions, sur le total des dix-huit petits tableaux et camaïeux disposés en six bandes de trois, deux images seulement sont consacrées à une action guerrière, six à des événements d'ordre diplomatique, et dix à des actions de politique intérieure. Cette immédiate et frappante opposition rend clairement compte de ce qui intéresse d'abord le roi : la politique étrangère occupe les deux tiers de la surface peinte, et plus encore si l'on considère que les grandes scènes, les plus immédiatement visibles, lui sont exclusivement réservées. Cette disposition stricte de la hiérarchie des images privilégie un roi de guerre plus qu'un roi administrateur. Cette dernière fonction est celle de Colbert, jamais montré dans la galerie des Glaces.

Évocation des guerres ayant ponctué le règne du Roi-Soleil, *L'Espagne avec son lion rugissant menaçant la France* est placé sur la voussure nord du plafond du salon de la Guerre. Le tableau fait face à la galerie des Glaces.

devait y être représentée. » Aussitôt, en deux jours, s'enfermant dans l'hôtel de Gramont, le peintre réalise le projet complet de la voûte : un grand programme représentant les campagnes militaires du roi lors des guerres de Dévolution et de Hollande. Il est recommandé à Charles Le Brun de « n'y rien faire entrer qui ne fût conforme à la vérité ».

Le problème de la représentation du roi est ainsi placé au cœur de la querelle des Anciens et des Modernes (voir encadré page 101). Ces derniers défendent en effet l'idée d'un progrès de l'Histoire qui rend inutile la référence constante à des modèles mythologiques.

La longue et haute galerie des Glaces est achevée en 1684. La voûte est recouverte de vingt-sept tableaux, médaillons et camaïeux, conçus comme un parcours initiatique à la gloire d'un prince « effaçant » la mémoire « des héros des siècles passés » (on commença à travailler aux peintures de la galerie à la fin du printemps 1680).

L'histoire officielle du royaume de 1661 à 1678 y est effectivement montrée, et elle se concentre dans la

Uranie, muse de l'astronomie, appartient à l'ensemble des huit statues de marbre placées dans les niches de la galerie des Glaces.

Le décor des salons de la Guerre et de la Paix est étroitement lié à celui de la Grande Galerie qu'ils encadrent : ici, l'allégorie a encore sa place et le superbe relief en stuc sculpté par Coyzevox n'y a pas échappé ; il figure un *Louis XIV glorieux couronné par la gloire*, référence aux guerres remportées par le monarque lors de la première partie de son règne. Dessous, le bas-relief représente Clio (muse de l'Histoire) écrivant *l'Histoire du roi*.

seule action d'un souverain de guerre et de gloire, présenté non plus à travers l'histoire ancienne, la mythologie ou l'allégorie, comme c'était le cas dans le Grand Appartement, mais sous les traits véritables d'un roi portant une perruque, vêtu à la romaine, avec un ample manteau agrémenté de fleurs de lis. La peinture *Le roi gouverne par lui-même* occupe la position centrale. C'est la plus grande de la série. On y voit Louis entouré de figures allégoriques et mythologiques, revêtu d'une cuirasse à l'antique et drapé dans un manteau bleu. Il pose la main droite sur le timon d'un navire : comme un capitaine, il est le seul maître à bord du grand vaisseau de l'État. Une femme, assise sur un nuage et qui symbolise la Gloire, tend au souverain une couronne d'étoiles. Elle domine le roi, qui la regarde et qui semble ignorer le cortège des amours, des nymphes, des dieux et des déesses qui l'entoure.

Chérubins soutenant les somptueuses girandoles de cristal qui servaient à l'éclairage dans la galerie des Glaces.

1679-1682

L'affaire des Poisons

En surface, à la cour, tout paraît calme, compassé, solennel. Pourtant, à la fin des années 1670 et au début des années 1680, une étrange affaire, selon Voltaire, « infecta Paris », et le monde des courtisans subitement bruissa des rumeurs les plus folles…

Gabriel Nicolas de La Reynie (1625-1709), lieutenant général de police, fut chargé de démêler la sombre affaire des Poisons.

Tout éclate quand une certaine Catherine Deshayes, dite la Voisin, une ancienne accoucheuse, est arrêtée, le 19 mars 1679. La Reynie, le lieutenant de police chargé de l'enquête, est, selon ses propres mots, « stupéfait » des révélations de l'accusée : une partie de la bonne société parisienne et des courtisans proches du roi se rendent chez elle pour obtenir des filtres.

Le procès de la marquise de Brinvilliers, une dame de la noblesse qui avait empoisonné son père et ses frères, demeurait bien vivace dans les souvenirs (elle fut exécutée le 17 juillet 1676). On disait aussi qu'il y avait à Paris des officines de poisons à la disposition des fils de famille ruinés, des ménages divisés, des ambitieux impatients…

Et des proches du roi, membres de la cour, étaient impliqués dans d'étranges affaires de messes noires et de meurtres d'enfants, des pratiques criminelles qui se déroulaient surtout dans les faubourgs populaires du nord et de l'est de Paris, entre l'enclos du Temple et le quartier de la Villeneuve-sur-Gravois, autour de Notre-Dame de Bonne-Nouvelle. Sur ordre de Louis XIV, un tribunal d'exception, une Chambre ardente, est constitué à l'Arsenal,

Parmi les sujets de nombreuses gravures liées à l'affaire des Poisons qui circulèrent dans toutes les villes du royaume, *la Devineresse ou les Faux Enchantements*, pièce écrite par Thomas Corneille et Donneau de Visé et jouée à Paris en 1680, obtint un formidable succès.

La marquise de Brinvilliers, impliquée dans une affaire d'empoisonnement au début des années 1670, fut exécutée sur la place de Grève en 1676. Cette affaire marqua durablement les esprits : « Jamais il ne s'est vu tant de monde, ni Paris si ému, ni si attentif », témoigna à l'époque Mme de Sévigné.

Pendant le règne de Louis XIV et même après, les pratiques de sorcellerie tenaient une place qu'il est difficile d'imaginer. En témoigne cette peinture qui traduit les angoisses d'un siècle habité par des usages et des croyances toujours vivaces.

sous la présidence de Louis Boucherat. Cette Chambre ardente travaille pendant plus de trois ans. Quatre cent quarante-deux personnes sont accusées. Au fil des interrogatoires et des séances de torture, des noms prestigieux sont prononcés, dont celui de la marquise de Montespan, la maîtresse du roi : celle-ci, en effet, était en relation avec la Voisin dès 1667, et aurait fait appel à ses services pour empoisonner sa rivale, Mlle de Fontanges ! Des suspects prétendirent aussi que le roi, le Dauphin, Colbert auraient été en danger. Et l'on entendit, selon Colbert lui-même, des « choses trop exécrables pour être mises sur le papier ».

Finalement, une trentaine d'accusés sont condamnés à mort et exécutés, dont la Voisin, brûlée vive, comme une sorcière, le 22 février 1680. Beaucoup sont enfermés dans des forteresses, d'autres sont condamnés aux galères ou exilés. L'opinion fut particulièrement frappée par cette affaire : des gravures circulèrent, des poèmes et des chansons furent déclamés et chantés sur le Pont-Neuf et colportés dans toutes les villes du royaume. À Paris, on joua une pièce de théâtre écrite par Thomas Corneille et Donneau de Visé, *la Devineresse*, devant une salle comble, pendant cinq mois… Cette affaire a été, à tort, négligée par les historiens. En réalité, elle révèle les passions, les angoisses, les pulsions obscures du Grand Siècle. Elle montre que le siècle de Louis XIV, réputé pour son sens de la mesure, son goût de la clarté et de l'ordre – le fameux « classicisme » –, n'avait pas exorcisé des croyances surgies du fond des âges.

Mais cette affaire est aussi une forme d'aboutissement. En effet, un édit daté de juillet 1682 marque la fin, officielle du moins, de la croyance aux sorcières : il ne reconnaît plus qu'une « prétendue magie », signifiant la négation implicite du pacte diabolique et des pratiques sataniques liées au sabbat et aux maléfices traditionnellement dénoncés par les démonologues (Jean Bodin, par exemple, dans les années 1580). Les seules preuves valables de culpabilité désormais retenues sont celles qui touchent à l'usage, au commerce et à l'administration de poisons : « devins, magiciens et enchanteurs » n'apparaissent plus que comme des illusionnistes qui pervertissent des crédules. Ainsi, si la sorcellerie, la démonologie et les officines de poisons et de mort subsistent au XVIIIe siècle, ce n'est plus qu'à titre résiduel. Jamais plus n'éclatera une affaire de l'ampleur de celle des Poisons, qui éclaboussa Versailles, la cour et les maîtresses du roi.

1680

Le potager de Louis XIV : la « main verte » du roi

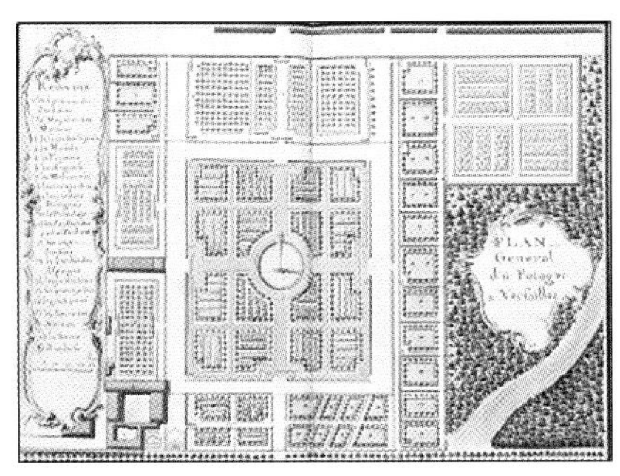

Le potager du roi tel qu'il était vers 1732 : au centre du plan, le grand carré ; en haut, prunes, pêches et asperges ; sur le côté gauche, melons, ananas et figues ; ailleurs, les différents jardins et la serre hollandaise.

Tout à Versailles exhale l'orgueil du roi, jusqu'aux fruits et légumes de son potager, qu'il aime parcourir avec ses courtisans ou ses visiteurs de marque, pour leur faire admirer son clos aux asperges et ses cultures fruitières en espalier.

En 1679, Louis XIV prévoit la somme de 120 000 livres pour le transport des terres et la construction des murs de clôture d'un nouveau potager. Ces hauts et beaux murs, dont la majeure partie subsiste encore, délimitent un vaste terrain, compartimenté de jardins intérieurs. L'ensemble va remplacer l'ancien potager du château de Louis XIII. L'aménagement de ce nouveau potager a nécessité le concours des suisses, qui transportent les terres de remblai provenant de la grande pièce d'eau qu'ils ont creusée, assainissant du même coup ce lieu très malsain au sud-ouest du château.

Le potager du roi, sur lequel règne en maître Jean de La Quintinie, directeur des jardins potagers et fruitiers des maisons royales, se compose d'un grand carré divisé en seize compartiments, séparés par des allées bordées de contre-espaliers, et d'un bassin circulaire en son centre. Le grand carré est entouré d'une terrasse, de laquelle on descend par quatre perrons. En 1683, Louis XIV fait construire, spécialement pour La Quintinie, et d'après des plans de Jules Hardouin-Mansart, une maison et des logements pour ses jardiniers. Le roi aime venir s'entretenir avec son jardinier et à maintes reprises se plaît à façonner un arbre de sa main…

Robert Arnauld d'Andilly, l'un des maîtres de Port-Royal, publia à Paris

Le potager actuel poursuit la tradition horticole amorcée par La Quintinie (1626-1688). L'École nationale d'horticulture, fondée en 1874, fait de ce lieu un terrain d'expériences pour une agriculture des plus modernes.

Le roi est d'un appétit féroce. Il adore figues, asperges et radis, directement sortis de son potager. Il se plaît à présenter son jardin à ses invités. Fruits et légumes, dans la peinture, remplacent peu à peu les fleurs et la végétation, comme on le voit dans ces natures mortes.

en 1662 (sous le nom de Legendre, curé d'Hénonville) un traité de jardinage particulièrement innovant : *la Manière de cultiver les arbres fruitiers*. La Quintinie s'en inspire pour transformer le potager royal en modèle de jardinage. Il développe, en particulier, la culture des primeurs et établit pour cela des cultures forcées sous châssis et en serres chaudes. Le figuier était la principale culture du

potager car Louis XIV affectionnait particulièrement ses fruits : il y en avait en espalier ; on en comptait sept cents pieds en caisses, que l'on forçait en janvier dans les serres chaudes. Les espaliers du potager donnaient aussi des cerises précoces, des abricots, des poires, des prunes, du raisin muscat et du chasselas… La Quintinie accordait un soin particulier à ses « fruiteries », destinées à conserver les fruits pendant l'hiver. Louis XIV, très friand de raisin muscat, pouvait ainsi en bénéficier presque toute l'année.

Le roi était particulièrement fier des pêches magnifiques produites par son potager : les jardiniers de Montreuil en cultivaient depuis 1600 mais gardaient jalousement leur méthode secrète. Vers 1675, La Quintinie avait réussi à décider Nicolas Pépin, l'un d'entre eux, à venir à Versailles… Un des plaisirs du souverain était de faire admirer ses nouvelles expériences potagères : le 31 juillet 1684, note Dangeau, un courtisan qui nous a laissé de précieux mémoires, Louis XIV « se promena à pied dans ses jardins et dans son potager, et il permit à tous ceux qui le suivoient de cueillir et de manger du fruit ». Le 18 mai 1685, le doge de Gênes eut droit à une visite, ainsi que les ambassadeurs du Siam, en octobre 1686.

En 1690, deux ans après sa mort, paraissait un traité rédigé par Jean de La Quintinie, *Instructions pour les jardins fruitiers et potagers* ; il y transmettait toutes ses expériences, notamment celles concernant la culture et la taille des arbres fruitiers. Le succès fut énorme : lu dans toute l'Europe, le traité a été réédité jusqu'en 1786.

Le potager du roi n'a pas disparu après la mort de son créateur. Tout au contraire, il est devenu le laboratoire d'une agriculture moderne et n'a jamais cessé d'être célèbre jusqu'à nos jours, sous le nom d'École nationale d'horticulture depuis 1874.

DES ASPERGES SUR LA TABLE DU ROI EN DÉCEMBRE !

La Quintinie s'ingénia à obtenir des récoltes de primeurs.
Le roi eut ainsi le privilège de disposer sur sa table d'asperges et d'oseille nouvelle en décembre ; de radis, de laitues pommées, de champignons en janvier ; de choux-fleurs en mars ; de fraises et de petits pois – Louis XIV les adore – dès les premiers jours d'avril ; de figues et de melons en juin…
Évoquant les asperges de primeur, La Quintinie reconnaît qu'« il n'appartient guère qu'au roi de goûter ce plaisir ».
Voici, à titre d'exemple de la diversité du potager, les types de poires d'été, d'automne et d'hiver que La Quintinie parvint à produire pour le roi. Poires d'été : le petit muscat, la cuisse-madame, la poire sans peau, les blanquettes, la grosse, la petite, celle à longue-queue, la robine, la cassolette, la bon-chrétien musqué, le rousselet, la salviati.
Poires d'automne : les beurré, bergamote, vertelongue, crassane, muescatfleury, lansac, louis-bonne.
Poires d'hiver : les virgoulé, leschasserie, épine, ambrette, saint-germain, bon-chrétien d'hiver, colmar, bugy, saint-augustin…

1682-1671

Le château de la démesure

La mince couche de neige d'un rigoureux hiver amplifie le caractère monumental de cet ensemble démesuré que constituent le château et les jardins de Versailles.

6 mai 1682

L'installation définitive du roi à Versailles

Le 6 mai 1682, Louis XIV annonce officiellement son désir de faire de Versailles le cœur politique et administratif de l'État royal. Le cœur aussi de la vie de cour désormais réglée suivant une étiquette impérieuse et rigide.

Ci-contre : lorsque le roi s'installe à Versailles, en 1682, le corps central du château est encore encombré par les échafaudages dressés pour les travaux de décoration de la Grande Galerie.

Jusque-là, le roi, comme la plupart de ses prédécesseurs, était toujours en mouvement, essentiellement entre le Louvre, Saint-Germain, les Tuileries et Fontainebleau. Pourtant, Versailles accapare l'essentiel de son attention et de son intérêt. Bien plus encore : le marquis de Sourches explique que le souverain « aimait cette maison avec une passion démesurée ». Aussi, et quoique le château soit encore « rempli de maçons », Louis XIV décide, en ce début de mai 1682, de quitter Saint-Cloud, la résidence de Monsieur, son frère, pour s'établir, cette fois définitivement, à Versailles.

Quand le roi s'installe, le château est encore un grand chantier : les logements de l'aile du Midi ne sont pas tous habitables ; le Grand Commun, où l'on prépare les repas de ceux qui ont « bouche à la cour » (les courtisans qui résident au château), est en construction. Qu'importe : la décision royale ne souffre nulle contestation et il appartient à chacun de se conformer au désir impérieux du souverain.

Cependant, contrairement à ce qui fut parfois écrit, Louis XIV continuera à se déplacer, en particulier jusqu'en 1693 aux frontières, visitant les places fortes et présidant à plusieurs sièges. Et chaque année (ou presque), en septembre et octobre, saison privilégiée pour la chasse, le souverain séjourne avec la cour à Fontainebleau.

Le Grand Commun, élevé par Jules Hardouin-Mansart en lieu et place de l'ancien village de Versailles, n'était pas encore achevé en 1682. Terminé en 1687, il comprenait des corps de logis disposés autour d'une cour rectangulaire.

La promenade du roi dans les jardins de Versailles fit rapidement partie du rituel quotidien imposé par le souverain aux courtisans. Tout, désormais, était réglé à partir de l'emploi du temps du maître des lieux...

Il n'en demeure pas moins que l'installation royale à Versailles modifie la fonction du château : il ne s'agit plus désormais d'une résidence de divertissements et de fêtes, abritant les cavalcades empanachées du début du règne. C'est bien un second Versailles qu'inaugure Louis XIV en 1682, un Versailles plus monotone, plus triste aussi, asservi à un comportement de rigueur et de discipline imposé aux courtisans. Au fil des années, la cour est devenue plus nombreuse, plus luxueuse, plus compassée : tout est réglé, prévu, rien ne se fait que sur ordre du roi ou avec sa permission. Et tout est ordonné suivant son emploi du temps, dans la répétition quotidienne des mêmes gestes, des mêmes activités, des mêmes fonctions : le lever et le coucher du roi, le dîner ou le souper du roi, la promenade dans les jardins sur le canal, la chasse (presque tous les jours), le jeu, la collation... Louis XIV a fait de l'étiquette un instrument de domination.

La Bruyère exprime bien une opinion qui sera bientôt partagée par nombre de courtisans : vue de loin, la cour paraît une chose admirable, mais si l'on s'en approche, ses agréments diminuent, « comme ceux d'une perspective que l'on voit de trop près ».

Contemporaines de l'édification du Grand Commun, les ailes du Midi et du Nord reprenaient les éléments décoratifs et la disposition du bâtiment principal et de la façade donnant sur les jardins. L'aile du Midi, que l'on distingue ici, fut terminée en 1681, alors que l'aile du Nord ne s'acheva qu'en 1689.

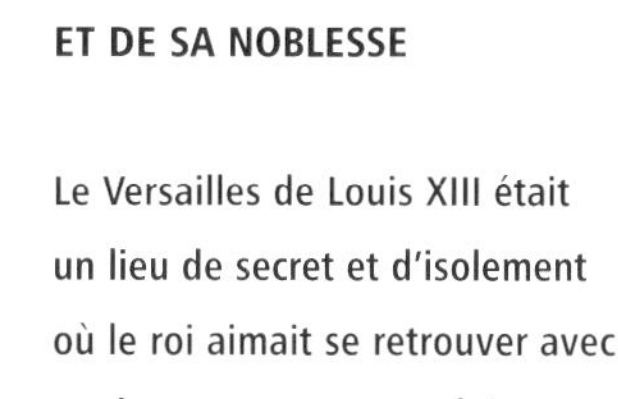

LA RÉCONCILIATION DU ROI ET DE SA NOBLESSE

Le Versailles de Louis XIII était un lieu de secret et d'isolement où le roi aimait se retrouver avec quelques compagnons, loin de la cour. La noblesse, au contraire, n'aspirait qu'à se rapprocher de son roi et comprenait mal la sévérité du souverain à son égard. Elle se rebella, et ce mécontentement aboutit à une Fronde aristocratique qui culmina en 1652. Il fallait donc rallier cette noblesse déçue. Louis XIV, installé à Versailles en 1682, offrit en quelque sorte un retour à l'accessibilité du prince : la vie publique dans le château, à travers le rituel de cour, contribua à cette visibilité retrouvée. Désormais, la permanence du roi à Versailles signifiait que la présence royale était pleinement réintégrée dans l'institution monarchique. Mais n'est-ce pas là aussi le plus sûr moyen de s'assurer la fidélité de ses sujets?

Par sa fonction assumée de roi de guerre, Louis XIV manifesta sa volonté de se « montrer » et de regagner la confiance de sa noblesse.

Les écuries : l'écrin du cheval roi

La cour des Grandes Écuries s'ouvre sur un pavillon au décor sculpté. Surmonté d'un tympan de style antique, le porche d'entrée est entouré d'un beau fronton orné de chevaux, qui est l'œuvre de Raon et Granier.

Sur ordre de Louis XIV, Jules Hardouin-Mansart élève un simple commun au rang de château pour abriter un véritable trésor : les chevaux du roi. Les écuries constituent le plus grand chantier jamais entrepris pour loger la plus noble conquête de l'homme.

Il faut imaginer dans la cour des Grandes Écuries le fracas incessant des roues des carrosses sur le pavé, les cris et le fouet des cochers, les battements des sabots d'étalons magnifiques.

Les Grandes et les Petites Écuries de Versailles, deux édifices jumeaux, ont bénéficié d'une place de choix : face au château, de part et d'autre de l'axe principal qu'est l'avenue de Paris.

La grandeur et la magnificence des bâtiments, la qualité de la construction ainsi que son coût témoignent de l'importance de l'entreprise : la seule maçonnerie représente plus du tiers du total de la dépense consacrée à l'ensemble des Bâtiments du roi de 1679 à 1680, soit près de 2 millions de livres pour les Grandes et les Petites Écuries !

Ces bâtiments, d'une grande superficie, sont édifiés en trois ans seulement : *le Mercure galant* nous apprend qu'en décembre 1682 Louis XIV, accompagné de Monseigneur et de la Dauphine, alla visiter les nouvelles écuries. On admira la dimension et l'élégance de l'ensemble, l'extrême propreté des lieux et la beauté des nombreux chevaux étrangers qui s'y trouvaient réunis pour les carrosses du roi. Piganiol de La Force écrit même, dans sa *Description de Versailles*, parue en 1701, que « Michel-Ange lui-même n'a jamais rien imaginé de plus heureux ni de plus grand ».

Les Grandes Écuries renferment trois cents chevaux : ceux montés par le roi et les princes, et une centaine de coureurs pour la chasse. À la fin du siècle, le souverain dispose de presque

Ce tableau de Jean-Baptiste Martin (1659-1735) donne une idée de la vie qui s'organisait autour des Grandes et Petites Écuries. Celles-ci furent construites de manière que leur hauteur ne masque pas l'horizon lorsqu'on les voyait du château.

huit cents places pour ses chevaux, destinés au transport, à la chasse, au manège, à la promenade, aux fêtes, aux carrousels et aux spectacles de plein air.

Le personnel des Petites Écuries, dirigé, comme celui des Grandes Écuries, par le Grand Écuyer de France, un membre de la prestigieuse famille de Lorraine, se compose de vingt écuyers pour accompagner le roi à la guerre et à la chasse ou le suivre quand il se déplace en carrosse. En 1712, le souverain dispose de vingt-cinq beaux attelages, chacun de dix chevaux.

Les pages des Grandes et des Petites Écuries appartiennent tous à la noblesse. Ces écuries abritent une école pour les jeunes aristocrates dans laquelle ces derniers sont initiés à toutes sortes d'exercices : monter à cheval, voltiger, tirer des armes, s'entraîner à la guerre, à la danse, à l'art du blason.

Ils ont un gouverneur et des précepteurs, des maîtres, comme on disait alors, pour les mathématiques, le dessin, l'histoire et la géographie.

Les pages accompagnent le roi à la guerre (jusqu'en 1693) et sont attachés à son service ainsi qu'à celui des aides de camp. Le soir, ils éclairent le souverain dans ses déplacements en portant un flambeau de poing en cire blanche.

De nombreux divertissements et spectacles eurent pour cadre les écuries : courses de bague, présentation d'opéras de Lully et Quinault (tels *Persée* en 1682 et *Roland* en 1685), carrousels, bals et ballets…

LES OFFICES DES GRANDES ET DES PETITES ÉCURIES

Les écuries abritent tout un monde d'officiers, plusieurs centaines d'hommes commandés par le Grand Écuyer : porte-épée, hérauts d'armes, précepteurs de pages, fourriers, maréchaux de forge, valets de pied, laquais, palefreniers, chevaucheurs ordinaires et extraordinaires des écuries, joueurs de hautbois,

Henri de Beringhen, seigneur d'Armainvillier, tint la charge de Premier Écuyer du roi.

violons et musettes, tambours et fifres, médecins, apothicaires, chirurgiens des écuries, cochers et postillons, cuisiniers… Tous ces officiers se doivent de prêter serment de fidélité entre les mains du Grand Écuyer. Celui-ci occupe une fonction considérable, comme l'atteste le privilège envié que parfois Louis XIV accorde à ce grand officier de la couronne : l'honneur insigne de lui donner place, près de lui, dans son carrosse !

À gauche : les Grandes et les Petites Écuries avaient pour fonction d'élever les chevaux du roi. Quand il allait chasser, six pages des Petites Écuries et un porte-arquebuse étaient chargés de porter ses armes.

Mort de la reine et mariage avec Mme de Maintenon

La reine Marie-Thérèse meurt le 30 juillet 1683 ; quelques mois plus tard, Louis XIV épouse secrètement Mme de Maintenon… L'extraordinaire destin de la veuve Scarron se confond désormais avec celui de Versailles.

« Voilà le premier chagrin qu'elle m'ait donné. » C'est ainsi que Louis XIV commente la mort de son épouse Marie-Thérèse d'Autriche, reine très discrète, effacée, dévote. Elle était la fille de Philippe IV d'Espagne, et le mariage avait été célébré avec faste par l'évêque de Bayonne, à Saint-Jean-de-Luz, vingt-trois ans plus tôt, en juin 1660. À Paris, le 26 août 1661, le cortège royal était entré en triomphe. Parmi les spectateurs, Mme Scarron, qui se trouvait alors à l'hôtel de Beauvais ou d'Aumont, situé rue Saint-Antoine : « Je ne crois pas qu'il se puisse rien imaginer de si beau. Je fus toute yeux pendant dix ou douze heures de suite. » Qui aurait pu imaginer qu'en cette année 1683 toutes les conversations de la cour porteraient justement sur cette Mme Scarron, devenue la très redoutée, la très influente Mme de Maintenon ?

Ce portrait par Pierre Mignard de Mme de Maintenon (1635-1719) en sainte Françoise romaine, créatrice d'une congrégation de bénédictines, serait-il une référence à la fondation par la veuve Scarron de la maison de Saint-Cyr en 1686 ?

Petite-fille d'Agrippa d'Aubigné, Mme de Maintenon était née le 28 novembre 1635 ; elle avait épousé en 1652 le poète Scarron, un homme accablé d'infirmités mais à l'esprit vif et frondeur : « Il était laid sans doute, on le disait sans fortune mais, tel qu'il était, j'aimais encore mieux l'épouser qu'un couvent. » Scarron mourut en 1660. Dans les années 1670, Mme de Montespan, favorite de Louis XIV, fit de la veuve Scarron la gouvernante des enfants qu'elle avait eus du souverain, « ce qui donna lieu au Roi de la connoitre, explique Ezechiel Spanheim, ambassadeur du Brandebourg à Versailles, de se plaire à son entretien, de s'accoutumer dans les visites qu'il rendait tous les jours à l'appartement de Mme de

L'appartement de Mme de Maintenon, qui comprenait quatre pièces, était de plain-pied avec celui du roi et donnait sur la cour de Marbre. Lorsque l'envie lui en prenait, Louis XIV s'y rendait en passant par le vestibule de l'escalier de la Reine. Cette vue actuelle du grand cabinet montre des murs tendus de damas rouge comme ils l'étaient à la grande époque de Mme de Maintenon. Toutefois, le décor a bien changé…

Le mariage de Louis XIV avec Marie-Thérèse d'Autriche avait eu lieu en juin 1660 à Saint-Jean-de-Luz. La mort de la reine mettait un terme à une union royale de près de vingt-trois années.

Montespan et, peu à peu, d'en faire une considération particulière ».

Au fil des années, la faveur de celle qui était devenue Mme de Maintenon (du nom d'une terre qu'elle avait achetée en 1674) devint de plus en plus grande : le roi ne pouvait plus se passer d'elle.

Vraisemblablement, le 9 octobre 1683, Louis XIV l'épouse devant l'archevêque de Paris, Harlay de Champvallon. Le mariage resta secret, mais sa réalité ne faisait aucun doute pour la plupart des courtisans.

On s'est beaucoup interrogé et l'on s'interroge encore sur le rôle réel joué par Mme de Maintenon, accusée de tous les maux (la révocation de l'édit de Nantes, par exemple, en octobre 1685, dont nous savons qu'elle ne fut, en aucun cas, « responsable »).

Il convient de modérer son influence, même si sa présence auprès du souverain a pu jouer un rôle non négligeable : elle n'est sans doute pas étrangère, notamment, au renforcement de l'austérité dévote de la cour à la fin du règne. Malgré tout, elle ne mérite nullement les critiques parfois injurieuses qui lui furent adressées par nombre de courtisans ou de proches de Louis XIV, jaloux sans doute de l'éclatante faveur accordée à celle qui était « née pour être femme de chambre », comme n'hésita pas à l'écrire la princesse Palatine…

MME DE MAINTENON, CROQUÉE PAR LA PRINCESSE PALATINE

La princesse Palatine, la femme allemande de Monsieur, le frère du roi, s'est montrée elle aussi particulièrement critique envers Mme de Maintenon, féroce même dans nombre de ses lettres, écrites, malgré la censure, sans retenue aucune.
En voici quelques traits :
« La vieille, la Maintenon, se fait un plaisir de rendre odieux au roi tous les membres de la famille royale et de les régenter, excepté Monsieur, qu'elle flatte auprès du roi. Elle s'arrange de manière que Sa Majesté vive bien avec lui et fasse tout ce qu'il lui demande, […] Mais, par-derrière, cette vieille craint qu'on ne pense qu'elle estime Monsieur ; aussi dès que quelqu'un de la cour parle avec elle, elle dit de lui pis que pendre, qu'il n'est bon à rien, que c'est l'homme le plus débauché du monde, sans secret, faux et indigne de toute confiance. »
Lettre adressée le 11 août 1686 à la duchesse de Hanovre.

La princesse Palatine (1652-1722) voua une haine féroce à Mme de Maintenon, qu'elle taxait volontiers d'opportunisme, reprenant à l'envi le mot de Mme de Sévigné, qui l'appelait « Mme de Maintenant ».

1683

Louvois maître du chantier de Versailles

La mort de Colbert en 1683 et son remplacement par Louvois à la direction des Bâtiments marquent un changement majeur dans la manière de diriger la construction du château. L'homme de guerre ordonne le chantier comme une entreprise militaire...

Ci-contre : François Michel Le Tellier, marquis de Louvois (1639-1691), succède à Colbert à la direction du chantier de Versailles en 1683. Ce travailleur infatigable, cet homme de terrain brutal et quelquefois cynique, mourra à la tâche à 52 ans.

Louvois, devenu surintendant des Bâtiments du roi, place aussitôt ses fidèles et ses alliés aux principaux postes de responsabilités et remplace les proches de Colbert : Charles Perrault, grand commis du ministre, est l'une des premières victimes, comme il le rapporte dans ses *Mémoires*. Le passage de Colbert à Louvois provoque des inflexions notables dans l'évolution du chantier de Versailles : le trio Colbert-Le Brun-Le Nôtre est remplacé par le trio Louvois-Mignard-Mansart. Girardon, parmi les décorateurs, prend une place de plus en plus importante. Nombre de programmes en cours dans les jardins sont aussitôt supprimés ou remplacés : la grotte de Thétis, par exemple, est détruite en 1684 en raison de la construction de l'aile du Nord.

Le goût de Louvois en matière de création artistique tranche sur celui de son prédécesseur : « Comme je ne suis point curieux, c'est-à-dire que je ne me connois point en peinture ni en statues, je ne vous demande point des statues chères par leur antiquité ; et j'aime mieux une belle copie, d'un marbre bien poli, qu'une antique qui ait le nez et le bras cassés. » Effectivement, l'activité de l'Académie de France à Rome se ralentit considérablement et les envois de caisses de moulages se font de plus en plus rares. En 1693, Colbert de Villacerf recommande ouvertement de chercher l'inspiration ailleurs : « Il ne faut pas vous arrêter autant à l'antique que vous faites. » Dans le cadre de la querelle des Anciens et des Modernes, incontestablement, le rôle de Louvois accentue la prééminence des Modernes, ce qui se traduit à Versailles par l'abandon progressif des programmes mythologiques et allégoriques au profit de simples motifs décoratifs.

Des sommes accrues, inédites par leur ampleur, sont affectées à l'agrandissement du château, notamment pour la construction des ailes du Sud et du Nord. Les années 1684 (5 millions de livres), 1685 (plus de 10 millions de livres), 1686 (5 millions de livres) sont celles des plus grandes dépenses pour la construction de Versailles.

Ce chantier nouveau est mené comme une entreprise militaire placée

Parmi les travaux entrepris sous la direction de Louvois, l'aile du Nord encadrant avec l'aile du Sud le corps central du bâtiment, visible ici depuis les jardins.

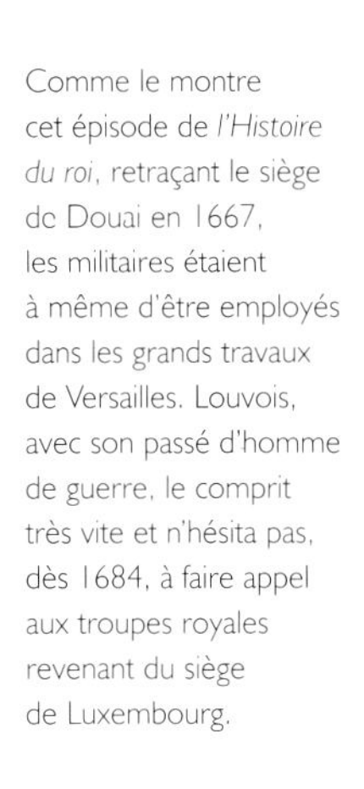

Comme le montre cet épisode de *l'Histoire du roi*, retraçant le siège de Douai en 1667, les militaires étaient à même d'être employés dans les grands travaux de Versailles. Louvois, avec son passé d'homme de guerre, le comprit très vite et n'hésita pas, dès 1684, à faire appel aux troupes royales revenant du siège de Luxembourg.

LES MILLE ET UN MÉTIERS DE VERSAILLES

L'État général de la Maison du roi, **qui détaille les offices attachés à Versailles, permet de prendre la mesure des multiples compétences à l'œuvre pour mener à bien les travaux et l'entretien du château. Inventaire à la Prévert, le simple énoncé de quelques-uns de ces métiers, dont l'art et le savoir-faire se sont souvent perdus, restitue et évoque tout un monde de centaines d'artisans, souvent anonymes. Ils n'ont guère laissé de traces dans les archives, et les mémoires écrits par les courtisans ne les mentionnent jamais, ou presque. Pourtant, sans ces hommes et ces femmes qui assurent le quotidien du château, Versailles ne serait pas. Tissutiers rubaniers, passementiers, frangers, boutonniers, merciers, drapiers, teinturiers, tapissiers, fourreurs…**

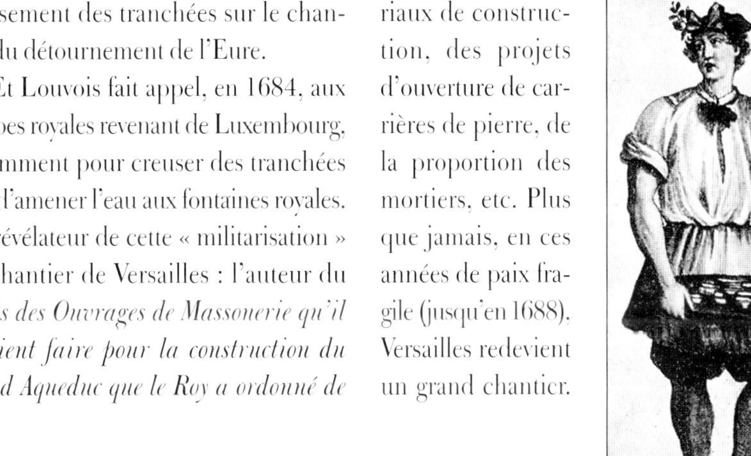

sous la direction autoritaire de Louvois : une nouvelle hiérarchie de commandement est mise en place sur le chantier, calquée sur celle de l'armée ; les techniques des fortifications et des sièges sont appliquées, en particulier pour le creusement des tranchées sur le chantier du détournement de l'Eure.

Et Louvois fait appel, en 1684, aux troupes royales revenant de Luxembourg, notamment pour creuser des tranchées afin d'amener l'eau aux fontaines royales. Un révélateur de cette « militarisation » du chantier de Versailles : l'auteur du *Devis des Ouvrages de Massonerie qu'il convient faire pour la construction du grand Aqueduc que le Roy a ordonné de faire pour conduire à Versailles les Eaues de la Rivière d'Eure, sui-vant les plans, élévations et profis, pour ce faits de l'ordre de Sa Majesté* n'est autre que Vauban. Ce dernier passa cinq mois sur place à faire l'étude des matériaux de construction, des projets d'ouverture de carrières de pierre, de la proportion des mortiers, etc. Plus que jamais, en ces années de paix fragile (jusqu'en 1688), Versailles redevient un grand chantier.

Double page suivante : l'année 1684 représente, sur le plan de la politique européenne, le point culminant du règne de Louis XIV. Son royaume est plus vaste que jamais.

Parmi les mille et un métiers que l'on exerçait à Versailles, ceux de pâtissier (à gauche) et de porteur de bois (à droite).

CARTE DE LA FRANCE 1684
Presentée
AV ROY
Par C. Couplet M.ʳˢ qui Math.
des pages de sa g.ᵈᵉ Escuyr
comis en sō Accad. des sc
logé en son obseruatoire
HÆ
TIBI ERVNT
ARTES
PAR TIE D'AN GLE TERRE
MER
DE
GASCOGNE
NORMANDIE
PERCHE
MAINE
ANJOU
POICTOU
ANGOUMOIS
SAINTONGE
PERIGORT
QUERCY
BAZADOIS
AGENOIS
CONDOMOIS
GAS COGNE
BEARN
COMMINGES
ROYAUME DE
NAVARRE
ARRAGON
CATALOGNE

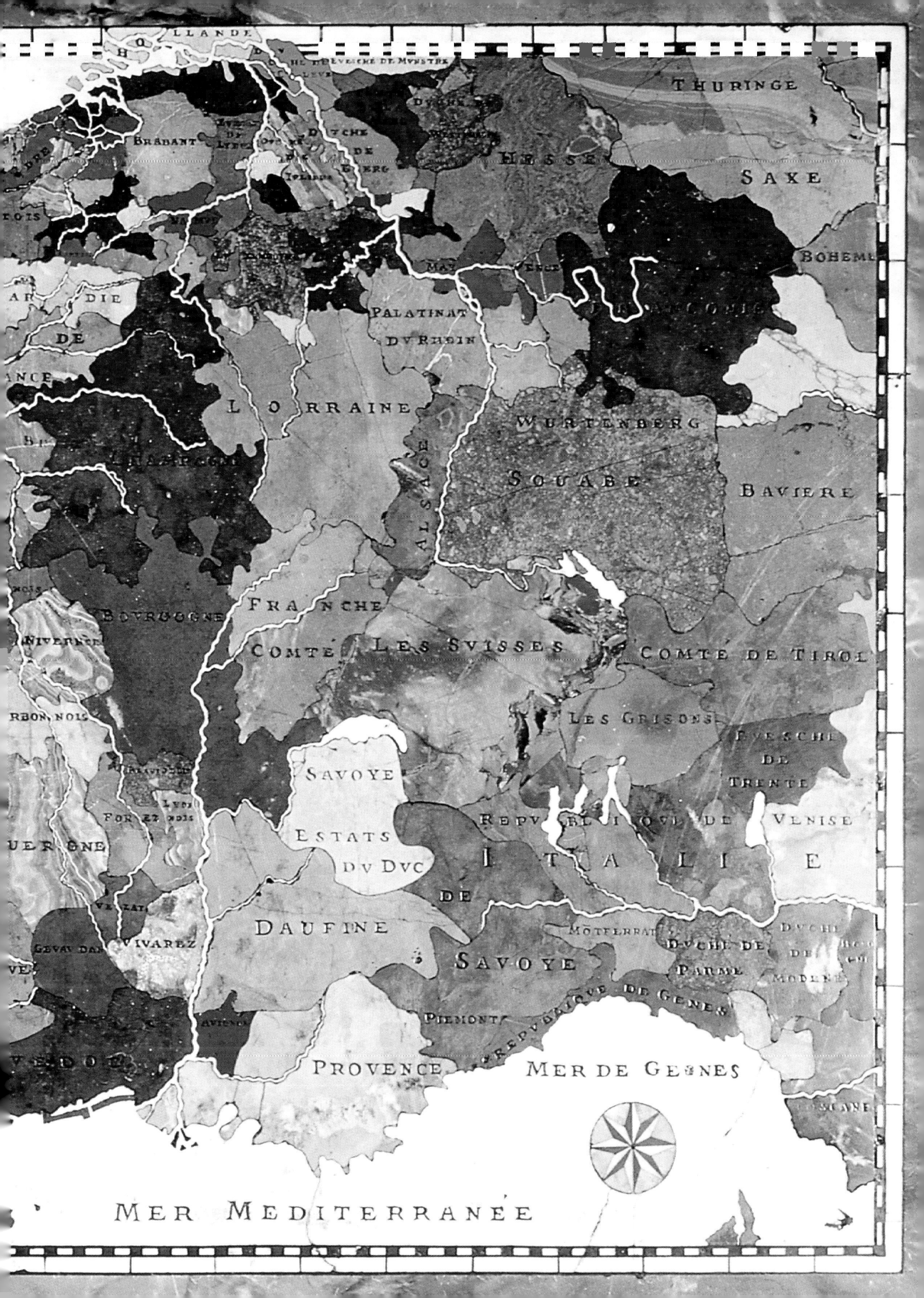

THURINGE
HESSE
SAXE
BOHEME
BRABANT
PALATINAT DU RHEIN
LORRAINE
WURTENBERG
SOUABE
BAVIERE
ALSACE
BOURGOGNE
FRANCHE COMTE
LES SUISSES
COMTE DE TIROL
LES GRISONS
EVESCHE DE TRENTE
SAVOYE
ESTATS DU DUC DE SAVOYE
REPUBLIQUE DE VENISE
ITALIE
DAUFINE
VIVAREZ
MOTFERRAT
DUCHE DE PARME
PIEMONT
REPUBLIQUE DE GENES
PROVENCE
MER DE GENES
MER MEDITERRANEE

1684

La Colonnade de marbre

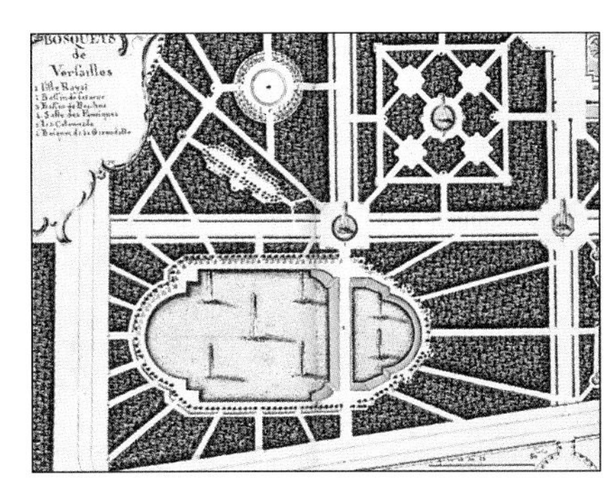

Petit plan des bosquets, dans le parc de Versailles, où l'on distingue : en haut, à gauche, la Colonnade placée entre le bosquet de la Girandole (en haut à droite) et la salle des Antiques ; au centre, le bassin de Saturne ponctue le chemin menant à l'île Royale ; à l'extrémité droite, le bassin de Bacchus.

Le 19 juin 1684, le roi ordonne à Jules Hardouin-Mansart la construction dans les jardins d'une colonnade de marbre, destinée aux collations de la cour. La décoration en a été confiée aux meilleurs sculpteurs.

Il s'agit, selon la volonté de Louis XIV, de substituer le marbre au végétal. La Colonnade est construite à partir de marbres français de différentes couleurs : marbre bleu turquin, marbre blanc et de Languedoc, c'est-à-dire marbre rouge... De forme circulaire, elle mesure 32 mètres de diamètre. Trente-deux colonnes de marbre de 0,48 m de diamètre composent la décoration d'un cirque. Dans les vingt-huit entrecolonnements ont été placés autant de bassins, eux aussi en marbre. De nombreux bas-reliefs décorent la Colonnade : sculptés par Coyzevox, Le Hongre, Granier, Lecomte, ils représentent des génies et des amours, des têtes de nymphes, de naïades. Saint-Simon, dans ses *Mémoires*, a évoqué la réaction d'André Le Nôtre face à cette nouveauté dans « ses » jardins : le roi mena son jardinier jusqu'à la Colonnade. Là, il ne dit mot. Alors le souverain le pressa de donner son avis : « Eh bien ! Sire, que voulez-vous que je vous dise ? D'un maçon vous avez fait un jardinier [Mansart a remplacé les arbres par des colonnes de marbre] ; il vous a donné un plat de son métier. » Le roi se

Un numéro du *Mercure galant* décrit la Colonnade de marbre (composée de trente-deux colonnes) en voie d'achèvement : « Le bois qui l'enferme avec le treillage qui garnit les tiges des arbres, fait un fond avantageux pour faire détacher l'Architecture, et cette pièce, qui est de pure magnificence, se fait autant admirer par la propreté de son travail, que la richesse de sa matière. Ce superbe morceau [...] est du dessein de M. Mansart. »

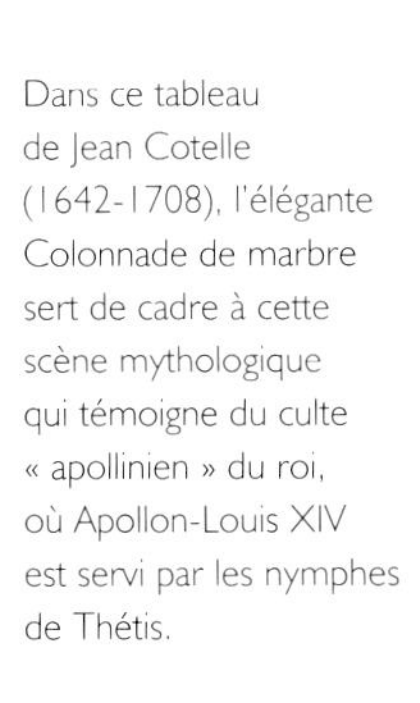
Dans ce tableau de Jean Cotelle (1642-1708), l'élégante Colonnade de marbre sert de cadre à cette scène mythologique qui témoigne du culte « apollinien » du roi, où Apollon-Louis XIV est servi par les nymphes de Thétis.

Un des deux groupes d'amours musiciens sur un des tympans de la Colonnade.

Au centre de la Colonnade de marbre, cette statue de Girardon représente l'un des quatre enlèvements – ici celui de Proserpine par Pluton, symbolisant *le Feu*.

tut, et chacun sourit. « Et il est vrai, ajoute Saint-Simon, que ce morceau d'architecture, qui n'était rien moins qu'une fontaine, et qui la voulait être, était fort déplacé dans un jardin. »

Cette anecdote en dit long sur la soumission de la nature à un principe d'architecture qui est alors devenu dominant dans les jardins de Versailles : haies traitées comme des murs, bosquets et clairières appelés « salles » ou « cabinets ». Le roi a totalement asservi le végétal pour le « tyranniser » (Saint-Simon), pour l'inscrire dans la parfaite continuité du palais : les ifs taillés tels des blocs de marbre prolongent ainsi « naturellement » les galeries et les pièces du château.

Stratégie du courtisan et discipline de la cour

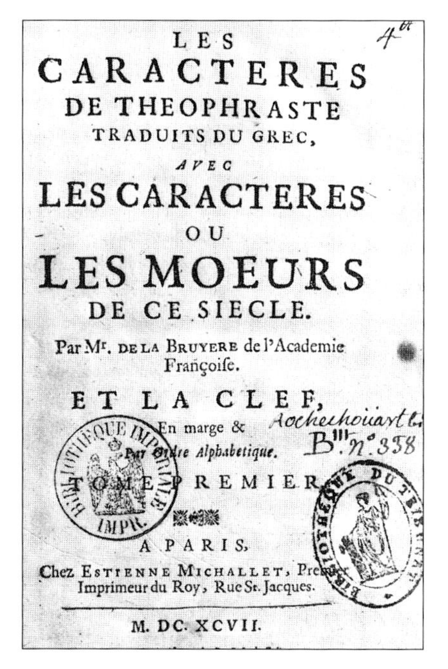
LES
CARACTERES
DE THEOPHRASTE
TRADUITS DU GREC,
AVEC
LES CARACTERES
OU
LES MOEURS
DE CE SIECLE.
Par Mr. DE LA BRUYERE de l'Academie Françoise.
ET LA CLEF,
En marge & par Ordre Alphabetique.
TOME PREMIER.
A PARIS,
Chez ESTIENNE MICHALLET, Premier Imprimeur du Roy, Rue St. Jacques.
M. DC. XCVII.

Dans ses *Caractères*, Jean de La Bruyère (1645-1696) dressa une satire aiguë des mœurs de la cour au XVIIe siècle.

Versailles ne fut pas seulement un château et une ville neuve, objets d'imitation ; ce fut aussi le centre de gravité de la sociabilité aristocratique, le cœur du système cérémoniel de l'État royal, un cœur battant au rythme des journées du souverain.

C'est La Bruyère, sans doute, qui a le mieux décrit le comportement du parfait courtisan à Versailles : « Un homme qui sait la cour est maître de son geste, de ses yeux, de son visage ; il est profond, impénétrable ; il dissimule les mauvais offices, sourit à ses ennemis, contraint son humeur, déguise ses passions, dément son cœur, parle, agit contre ses sentiments. »

Louis XIV tenait particulièrement au respect d'une étiquette qu'il transforma en un puissant instrument de pouvoir : « Ceux-là s'abusent lourdement, écrivait-il à son fils dans ses *Mémoires*, qui s'imaginent que ce ne sont là que des affaires de cérémonie. Les peuples sur qui nous régnons, ne pouvant pénétrer le fond des choses, règlent d'ordinaire leurs jugements sur ce qu'ils voient au-dehors [...]. Comme il est important au public de n'être gouverné que par un seul, il lui est important aussi que celui qui [assume] cette fonction soit élevé de telle sorte au-dessus des autres qu'il n'y ait personne

Louis XIV en présence des dames de la cour et de sa famille. Cette gravure parue dans un almanach de 1667 est très révélatrice du système de préséance qui sera la règle à Versailles : les femmes de la très haute noblesse sont assises au côté du roi, tandis que le reste de la cour est debout.

La vie et la discipline de la cour ont imposé aux aristocrates guerriers un comportement et une apparence de courtisans, même ici lors de la prise de Marsal, le 1er septembre 1663.

qu'il puisse ni confondre ni comparer avec lui. »

En matière de jurisprudence cérémonielle, le souverain était l'organisateur impérieux d'un rituel centré sur sa personne et organisé autour du déroulement méticuleux et public d'une journée, des levers (grands et petits) aux couchers du roi. Ce rituel était chargé de manifester, à tous moments, par des actes symboliques, une situation de prestige.

Cette entière soumission à la volonté royale concernait autant les aristocrates de la cour que les ambassadeurs et les représentants des puissances étrangères. Tous savaient que chaque détail d'une cérémonie, chaque place occupée étaient chargés d'une réputation, d'un statut, d'une faveur. Ainsi, lors d'une audience publique et solennelle, les huissiers ouvraient les portes des appartements du palais à un ou à deux battants suivant

La cour ritualise chaque geste du quotidien, notamment lors des repas et des collations.

LE PORTRAIT AU TEMPS DU GRAND ROI N'EST-IL QUE LE MIROIR FIGÉ DES CONVENTIONS COURTISANES ?

Si « le moi est haïssable », comme l'écrit alors Blaise Pascal, jamais pourtant, au siècle de Louis XIV, on n'a autant parlé de soi, écrit sur soi, peint des images de soi. Mme de Coulanges confie à Mme de Sévigné, le 29 octobre 1694, qu'on ne parlait plus, à Paris, que de portraits : « Tous les bons esprits sont curieux d'en avoir ou d'en savoir faire [...]. Nous étions ravis d'aller au lieu où habitaient les meilleurs maîtres de cet art. » Le XVIIe siècle est bien le siècle du paraître, de la représentation : toute la société de cour s'organise autour du souverain, à partir d'un jeu de prestige et de rang dont le portrait matérialise les règles. Les inventaires après décès en témoignent : c'est toujours le portrait du roi qui est mentionné en premier par le priseur. Et Louis XIV donne l'exemple : il subsiste aujourd'hui plus de deux cents portraits peints du roi et sept cents portraits gravés, soit plus de neuf cents représentations du souverain, depuis le grand et célèbre portrait d'apparat peint par Hyacinthe Rigaud en 1701 jusqu'aux images de Louis reproduites à des milliers d'exemplaires sur les almanachs. Le portrait quelque peu stéréotypé du courtisan imitant le roi par un mimétisme de commande et de servilité est celui qui vient immédiatement à l'esprit quand on évoque le règne de Louis XIV.

La promenade du roi est un moment très attendu de la journée du souverain qui rythme la vie quotidienne à Versailles.

LA STRATÉGIE DU COURTISAN SELON *L'HOMME DE COUR*, DE BALTASAR GRACIÁN

En 1684, Amelot de La Houssaie fait paraître *l'Homme de cour* de Baltasar Gracián, publié en Espagne en 1647. Ce traité, constitué de trois cents courtes maximes, devient rapidement le bréviaire des courtisans. Il illustre parfaitement la discipline de comportement, le jeu de concurrence, d'émulation et de jalousie, ordonné et régulé par le roi. Cette discipline et ce jeu caractérisent la société de cour dont Versailles offre le plus parfait mais aussi le plus aliénant des modèles.
« III. Ne point ouvrir, ni déclarer. De ne se pas déclarer incontinent, c'est le moyen de tenir les esprits en suspens, surtout dans les choses importantes, qui sont l'objet de l'attente universelle. Cela fait croire qu'il y a du mystère en tout, et le secret excite la vénération. Dans la manière de s'expliquer, on doit éviter de parler trop clairement; et dans la conversation, il ne faut pas toujours parler à cœur ouvert. Le silence est le sanctuaire de la Prudence. Une résolution déclarée ne fut jamais estimée. Celui qui se déclare, s'expose à la censure; et, s'il ne réussit pas, il est doublement malheureux. Il faut donc imiter le procédé de Dieu, qui tient tous les hommes en suspens [...]
LII. Ne s'emporter jamais. C'est un grand point que d'être toujours maître de soi-même. C'est être homme, par excellence, c'est avoir un cœur de roi, attendu qu'il est très difficile d'ébranler une grande âme. Les passions sont les humeurs élémentaires ➢

le rang de celui qui était reçu par le roi. Dans l'ordre plus quotidien de la vie de cour, ambassadeurs et courtisans n'ignoraient pas que le droit au fauteuil, à la « chaise à dos » ou au tabouret étaient strictement codifiés : le privilège de « femme assise » au souper du roi après la mort de la reine en 1683 n'était accordé qu'aux duchesses. De même, les vêtements à porter suivant les lieux (Versailles en habits d'apparat, Marly en habits plus simples), suivant les heures de la journée ou selon les événements (un deuil par exemple), les gestes à observer, en toutes circonstances, tous ces détails obéissaient à un code rigoureux de civilité et de bienséance : ôter son chapeau, le remettre (en France, c'était une marque de respect d'avoir un chapeau sur la tête quand on était à table), se lever, s'asseoir, se mettre à genoux – c'est dans cette position que les représentants des villes haranguaient le roi –, s'avancer de quelques pas, faire une ou plusieurs révérences, baiser avec déférence la robe d'une duchesse avant de lui adresser un compliment...

Ce système de la cour était fondé sur la manipulation des hommes par le roi, à partir d'un jeu de jalousie, d'amour-propre, de devoirs, de compétition, que le souverain seul gestionnaire des faveurs et des pensions, pouvait, d'un mot, d'un geste, d'un silence, perturber.

La force du pouvoir royal a tenu en partie à cette capacité de maintenir l'équilibre des ambitions des grands par le système de l'honneur, moteur du cérémonial de cour : « C'est l'envie de plaire qui donne de la liaison à la société, écrit Montesquieu dans *Mes Pensées*, et tel a été le bonheur du genre humain que cet amour-propre, qui devait dissoudre la société, la fortifie au contraire et la rend inébranlable. »

Versailles fut ainsi un espace créateur de normes (le « goût », le langage...), de productions esthétiques, de valeurs spécifiques transmises par la fête, le bal,

Vêtements et attitudes s'assagissent ; le corps se fait souple et gracieux ; la discipline des gestes est la première règle du parfait courtisan.

Postures corporelles étudiées, déférence de commande : le climat féminisé de la cour a joué son rôle pour transformer les guerriers brutaux du temps de Louis XIII en courtisans dévoués et obséquieux.

le jeu, l'ordre de l'étiquette, ou tout simplement la mode, de l'alimentation (le thé, le café, le chocolat) aux vêtements et aux parures... Mais la cour était avant tout investie d'une fonction politique : système de contraintes et de conventions, elle cristallisait les tensions et les déséquilibres jusqu'alors peu contrôlables qui traversaient l'aristocratie. Car tenir dans un même espace les grands lignages du royaume (la cour concernait entre quatre mille et cinq mille nobles vers 1690, dix mille personnes en tout), c'était commander en même temps le système des clientèles et des « créatures » provinciales, s'assurer de leur fidélité. La cour fut aussi un relais entre le pouvoir central et la société du royaume, d'abord celle des « gens de bien ».

Dans les *Lettres persanes*, Montesquieu souligne que « le Prince imprime le caractère de son esprit à la cour, la cour à la ville, la ville aux provinces. L'âme du souverain est un moule qui donne la forme à toutes les autres ». Ainsi, pour parvenir à accroître son prestige et sa position dans la hiérarchie des honneurs et des statuts, chaque courtisan tendait, en imitant le souverain, à discipliner son affectivité, à refouler toute réaction impulsive, à bannir tout sentiment non contrôlé, à cacher toute passion, à éliminer cette « chaude colle » (chaude colère), génératrice de meurtre, qu'évoquaient les lettres de pardon du roi un siècle plus tôt. École de discipline et de comportement, la société de cour fut un creuset de l'homme moderne.

➢ de l'esprit ; dès que ces humeurs excèdent, l'esprit devient malade ; et si le mal va jusqu'à la bouche, la réputation est fort en danger. Il faut donc se maîtriser si bien que l'on ne puisse être accusé d'emportement, ni au fort de la prospérité, ni au fort de l'adversité, qu'au contraire on se fasse admirer, comme invincible. [...]

LV. L'homme qui sait attendre. Ne s'empresser, ni se passionner jamais, c'est une marque d'un cœur, qui est toujours au large. Celui, qui sera le maître de soi-même, le sera bientôt des autres. »

1685-1689

La construction de l'aile du Nord

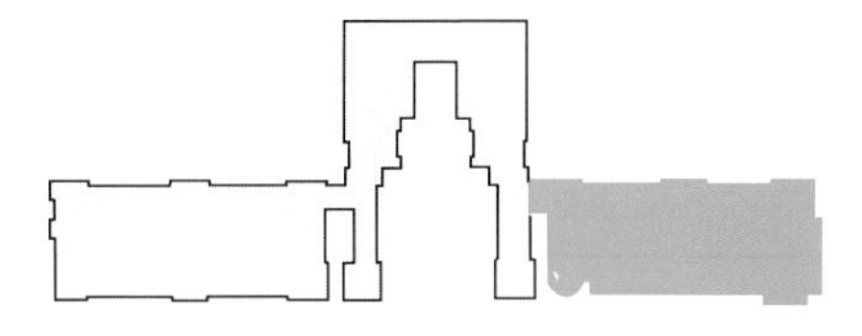

Versailles ne pouvait plus accueillir la foule des courtisans. Jules Hardouin-Mansart avait prévu la construction de quarante-quatre appartements. Le nombre fut jugé insuffisant. L'architecte dessina alors un nouveau projet d'une bien plus grande ampleur.

Ci-contre : Jules Hardouin-Mansart (1646-1708), surintendant des Bâtiments, fut l'ingénieux architecte de Versailles de 1678 à 1708. Il a donné au château son apparence définitive.

Le rez-de-chaussée et le premier étage sur les jardins étaient réservés aux princes du sang, le corps du bâtiment, sur rue, et le pavillon transversal abritaient le gros des courtisans : les quatre-vingt-six chambranles de cheminée et les cent soixante-trois foyers de marbre livrés en 1687 en disent long sur les ressources en logements de cette HLM à usage aristocratique...

Des milliers d'hommes furent employés pour la construction de l'aile du Nord : le marquis de Dangeau avance le chiffre de trente-six mille en 1685, y compris ceux qui travaillaient, au même moment, aux travaux – herculéens – de détournement de l'Eure...

Au terme de la construction de l'aile du Nord, Versailles compte en tout deux cent vingt-six appartements : les trois étages de l'aile du Midi abritaient les princes du sang et légitimés. Le rez-de-chaussée comprenait, sur la rue, les logements numérotés de 1 à 48, sur le parterre du Midi, cinq grands logements, nos 49 à 53, sur les cours intérieures, les nos 54 à 64. Au premier étage, on trouvait sur le jardin les nos 66 à 69, sur la rue les nos 70 à 86, tandis que l'attique, où les pièces étaient plus petites, rassemblait les nos 87 à 120. Construite à l'identique, l'aile du Nord fut pareillement divisée en logements âprement convoités : le duc de Saint-Simon y obtint ainsi, en 1710, après avoir longtemps vécu dans une seule pièce, un vaste logement situé sur le « gros pavillon » de l'aile du second

Du bassin de Neptune on aperçoit au loin l'aile du Nord du château, aménagée dans le plus pur style classique pour pouvoir loger la suite du roi, sa famille, les princes...

La façade et la partie nord-ouest sont érigées dans une parfaite harmonie et une impeccable continuité de style alors que leurs dates de construction diffèrent.

étage, prenant jour par huit fenêtres sur une des cours intérieures : cinq pièces (deux antichambres, deux chambres et un cabinet) le composaient, doublées de réduits sans fenêtres, de garde-robes, chambres de domestiques, arrière-cabinets. Et, comble du raffinement, Saint-Simon disposait d'une cuisine, située au rez-de-chaussée.

À la date du 20 novembre 1689, le marquis de Dangeau rapporte que « M. l'archevêque de Reims a troqué son appartement dans l'aile nouvelle [du Nord] pour se rapprocher de M. de Louvois, contre M. et Mme de Chevreuse, qui ont été bien aises de se rapprocher de M. de Beauvillier; et Mme de Montmorency, pour suivre sa mère, a troqué le sien contre Mme de Châtillon, qui par là se trouve à portée de servir Madame très commodément. Ils sont tous contents de leurs nouveaux logements ». En fait, la plupart des courtisans habitaient deux pièces sans cuisine; les « potagers », petits fourneaux pour réchauffer les plats, étaient rares. Et l'entassement était encore accru par la présence de la domesticité. Envers du décor du rituel de la cour : on se battait pour obtenir le moindre réduit, même le plus inconfortable, afin de pouvoir loger près du roi!

Élévation du Degré dans la petite cour du roi.

Versailles vu du côté de l'aile du Nord. Au premier plan, des courtisans se promènent au bord de l'étang d'origine.

1686

La « grande opération »

En février 1686, les médecins s'aperçoivent que le roi est atteint d'une « tumeur à la cuisse ». Il s'agit, en fait, d'une fistule anale. La « grande opération » est alors tentée et réussie, sans que le rituel de la cour n'en soit trop affecté. Mais au prix de quel stoïcisme !

Après avoir tenté différents remèdes, les médecins, désemparés, proposent à leur royal patient une opération, risquée (la «grande opération» disait-on), par incision. L'opération de la fistule anale est pratiquée par le chirurgien Félix, le 18 novembre 1686, à l'aide d'une lame inspirée d'un instrument inventé par Galien.

La maladie du roi fut considérée comme un malheur public. Comme on l'observe ci-dessus et à droite, on éleva des « camps de la douleur », et des prédicateurs furent chargés d'exhorter les fidèles à prier pour sauver Louis le Grand.

Après l'opération, des réjouissances publiques sont ordonnées dans tout le royaume sur le modèle de celles qui consacrent une victoire militaire ou la signature d'un traité : *Te deum*, panégyriques, salves, feux de joie...

L'intervention avait été tenue secrète jusqu'au dernier moment : seuls Mme de Maintenon, Louvois et Bontemps, le valet du roi, l'homme de tous les secrets, en avaient été informés. Le roi s'était alité le 5 février; dès le 23, le marquis de Dangeau marquait, dans son *Journal*, qu'on avait fait une première incision à l'abcès dont il souffrait. Le marquis de Sourches a noté, lui aussi, toutes les opérations préliminaires, en février puis en mars. Pendant l'été, les courtisans ne surent plus rien et crurent Louis XIV guéri jusqu'à l'opération qu'ils apprirent le 18 novembre.

Malgré ses souffrances, le souverain continue de tenir son rôle et reçoit, alité, courtisans et ministres.

Au bout de quelques semaines, il commence peu à peu à reprendre ses fonctions ordinaires, se lever et manger en public, assister à la messe à la chapelle du château, et se promener en carrosse ou en calèche pour accomplir, comme si de rien n'était, sa fonction de roi.

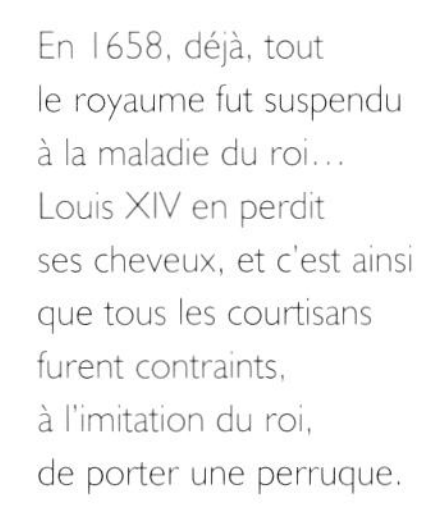

En 1658, déjà, tout le royaume fut suspendu à la maladie du roi... Louis XIV en perdit ses cheveux, et c'est ainsi que tous les courtisans furent contraints, à l'imitation du roi, de porter une perruque.

Louis XIV a
particulière
le cerf dans
entourant

1701-1715
Des ombres sur le Soleil

Dans un demi-jour, le Bassin d'Apollon recouvert d'ombres.

Novembre 1700

Le destin de l'Europe se joue à Versailles

Dans ses Mémoires, *le marquis de Torcy, secrétaire d'État aux Affaires étrangères, nous fait vivre un moment rare et mystérieux de la vie politique au château de Versailles : le détail du déroulement d'un Conseil décisif présidé par le roi.*

Jean-Baptiste Colbert (1665-1746), marquis de Torcy, neveu du grand Colbert, était responsable de la diplomatie durant les moments particulièrement difficiles de la guerre de la Succession d'Espagne (1701-1714).

À la cour de Madrid, autour de Charles II, roi malade, roi mourant, s'opposaient un parti pro-allemand et un parti national, espagnol. L'un des plus ardents défenseurs de l'intégrité espagnole, le cardinal de Portocarrero, convainquit Charles II de rédiger un testament en faveur du duc d'Anjou. Dans ce testament, daté du 2 octobre 1700, Charles II s'opposait au partage de ses États et les léguait à Philippe de France, le duc d'Anjou, second petit-fils de Louis XIV, à condition que celui-ci renonce à ses droits sur la couronne de France. Le 1er novembre, Charles II meurt. Louis XIV apprend la nouvelle de sa mort le 9 novembre.

Ce jour-là, le roi changea l'ordre qu'il avait donné pour la chasse et, à trois heures, il demanda aux ministres de venir chez Mme de Maintenon. Monseigneur, qui avait couru le loup le matin, était déjà de retour. Le Conseil dura jusqu'à sept heures. Outre le Dauphin, le chancelier Louis Phélypeaux, comte de Pontchartrain, le duc de Beauvillier et le marquis de Torcy participent à cette concertation décisive.

Le fonctionnement du Conseil du roi illustre clairement le « secret » de l'État en action. À la fin du règne, à partir de 1701, quand la chambre du roi fut placée au centre même du palais, la plupart des réunions des ministres se tenaient à Versailles dans le « chambre du Conseil », une pièce immédiatement voisine de la chambre du roi. Une fois le Conseil assemblé, les portes étaient fermées et soigneusement gardées, afin que nul ne puisse pénétrer le secret des discussions et des délibérations : elles faisaient partie des *arcana imperii*, les « mystères de l'État ». Les membres du Conseil siégeaient autour d'une table longue. À l'un des « hauts bouts » prenait place le souverain. Lui seul

Ce tableau, réalisé plus d'un siècle après l'événement, montre Louis XIV déclarant officiellement le duc d'Anjou, son petit-fils, roi d'Espagne.

LES INSTRUCTIONS DE LOUIS XIV À SON PETIT-FILS : UN TRAITÉ DE BON GOUVERNEMENT

Le départ du souverain d'Espagne eut lieu le 4 décembre 1700. Louis XIV lui écrivit, à cette occasion, des instructions très détaillées, en trente-trois articles, sur le métier de roi. Elles constituent, en forme d'autoportrait, un témoignage de l'idée que se faisait le roi de son propre pouvoir à cette date.

« 1. Ne manquez à aucun de vos devoirs, surtout envers Dieu.

2. Conservez-vous dans la pureté de votre éducation.

3. Faites honorer Dieu partout où vous aurez du pouvoir; procurez sa gloire; donnez-en l'exemple : c'est un des plus grands biens que les rois puissent faire [...].

5. N'ayez jamais d'attachement pour personne. »

Encadré : une représentation quelque peu idéalisée du duc d'Anjou au moment de son accession au trône d'Espagne. Mais elle traduit bien la fragilité timide de ce roi improvisé qui manifesta de réelles qualités politiques.

disposait du privilège d'un fauteuil. Le reste de l'assistance se contentait de tabourets en forme de pliants, pour signifier que le Conseil devait suivre le roi, où qu'il soit. La discussion était alors ouverte.

Nous ne possédons aucune source directe pour connaître le détail des paroles prononcées lors du Conseil du 9 novembre 1700, et les témoignages fiables sont rares. Une exception pourtant : les *Mémoires* du marquis de Torcy. Secrétaire d'État, fils du frère de Colbert, Torcy avait la responsabilité des Affaires étrangères et il décrit le déroulement de la discussion décisive qui se tint ce jour-là. Le testament de Charles II stipulait que son successeur devait être le second petit-fils de Louis XIV, Philippe, un jeune homme timide, âgé de 17 ans. Mais si le roi acceptait, la guerre était inévitable, tant le déséquilibre des forces entre les Bourbons et les Habsbourg devenait patent. Lors de ce Conseil, c'est donc rien moins que le destin de l'Europe qui est suspendu à la décision finale.

Ce jour-là, le souverain accorda, tour à tour, la parole aux différents participants. Le marquis de Torcy, tout d'abord, intervint : si la guerre était inévitable, déclara-t-il, il fallait en assumer le risque pour soutenir le parti le plus juste, et ce parti le plus juste était

UNE SOMBRE FIN DE RÈGNE : MISÈRES ET MALHEURS DES ANNÉES DE LA GUERRE DE LA SUCCESSION D'ESPAGNE (1701-1714)

L'extraordinaire renversement de l'équilibre européen au profit de la France provoqua immédiatement l'opposition des principales puissances européennes, en particulier de l'Angleterre et des Provinces-Unies, inquiètes de voir en même temps ouvert à la France l'immense empire colonial espagnol. Aussi, à l'instigation de Guillaume III, fut formée la grande alliance de La Haye, le 7 septembre 1701 : il s'agissait d'une vaste coalition qui regroupait l'Angleterre, l'Empire, la Hollande et la plupart des princes allemands. Après quelques succès initiaux entre 1701 et 1704, les Franco-Espagnols connurent une série de défaites provoquées par les armées alliées commandées par Marlborough et par le Prince Eugène, tous deux fins stratèges et excellents chefs de guerre. À propos de la défaite de Blenheim, le 13 août 1704, Voltaire écrit qu'il y eut « environ douze mille morts, quatorze mille prisonniers. Personne n'osait apprendre au roi une vérité si cruelle. Il fallut que Mme de Maintenon se chargeât de lui dire qu'il n'était plus invincible. »

(*Le Siècle de Louis XIV*).

Les années 1709-1711 furent particulièrement dramatiques pour la France, mettant à l'épreuve le système de protection des frontières conçu par Vauban. Ainsi, en 1709, ➢

Pendant de longues années, toute l'Europe fut suspendue à la santé précaire du roi Charles II.

celui du testament, « puisque le Roy d'Espagne rappeloit ses héritiers naturels à sa succession, dont ils avoient été injustement exclus par ses prédécesseurs ».

Par ailleurs, il y avait lieu de croire que, malgré le désordre des finances d'Espagne, « cette monarchie ne seroit pas encore hors d'état d'aider la France à s'opposer à la division de ses États ». Et puis l'Espagne livrait à la France pour sa défense de fortes places, « des ports dont la situation facilitait le commerce de France, et pouvoit ruiner celui de ses ennemis ». En outre, on pouvait se flatter « que les Indes ne seroient pas d'un médiocre secours ». La conclusion de Torcy s'imposait d'elle-même : il fallait accepter le testament.

Le duc de Beauvillier parla ensuite. Contre l'avis de Torcy, il conclut qu'il fallait s'en tenir au traité de partage envisagé avec l'Autriche, « persuadé que la guerre causeroit la ruine de la France ».

Le tour de Pontchartrain, le chancelier, vint ensuite : il reprit en détail les différents avantages qu'il y avait à choisir l'un ou l'autre des deux partis ; il conclut que le roi seul, plus éclairé que ses ministres, pouvait connaître et décider ce qui convenait le mieux à sa gloire, à sa famille royale, au bien de son royaume et de ses sujets. Enfin, le Dauphin intervint. Il parla peu mais sans hésiter et il conclut à l'acceptation du testament. Après avoir écouté en silence tous ces avis, le roi décida d'accepter le testament.

Le 10 novembre 1700, Louis XIV reçut une copie du testament de Charles II, le 16 novembre, dont il reconnaissait officiellement les termes. Cette acceptation rendait la guerre inévitable face au déséquilibre provoqué par l'union des deux monarchies « bourboniennes ».

Le *Mercure* rapporta un mot de l'ambassadeur d'Espagne : « Il n'y a plus de Pyrénées. »

À droite : le congrès et le traité de Rastatt mettent fin à la guerre de la Succession d'Espagne et consacrent le triomphe de l'Angleterre.

La bataille de Blenheim, en août 1704, se solda par une défaite des troupes françaises. Particulièrement sanglante, elle fit des milliers de victimes.

Et Torcy indique dans ses *Mémoires* que la résolution que le roi prit d'accepter le testament, devenue publique, « excita dans l'Europe l'agitation qu'on avait prévue.

» La couronne d'Espagne transférée dans la Maison de France, étoit un des grands événements qui fût arrivé depuis plusieurs siècles, et le plus capable de renouveler incessamment une guerre générale ». La guerre générale embrasa l'Europe, multipliant les difficultés financières de l'État royal.

Encadré : à Malplaquet, le 11 septembre 1709, les alliés, commandés par Marlborough et le Prince Eugène, triomphent une fois de plus des troupes françaises.

➢ l'année du « grand hiver » et de la bataille de Malplaquet, la ville de Tournai en juillet, puis la citadelle, tombèrent-elles devant les soldats alliés commandés par le Prince Eugène et le duc de Marlborough. « Les troupes, découragées, mal ou point payées, désertaient en foule », écrit Torcy; profitant de cette désorganisation et des difficultés de l'armée française, les coalisés voulaient « percer la France ». L'année suivante, celle de « la triste et honteuse négociation qui se traitait à Gertruydemberg » (Saint-Simon), fut marquée par la chute de Douai le 25 juin. Béthune tomba le 28 août, Aire-sur-la-Lys le 8 novembre. Le 24 juillet 1712, Villars remporta une victoire inespérée en battant les troupes du Prince Eugène à Denain. La guerre s'acheva par une série de traités signés à Utrecht (11 avril 1713), Rastatt – ou Rastadt – (7 mars 1714), Baden (7 septembre 1714), Anvers (15 novembre 1715).

1701

Le portrait officiel de Louis XIV

Ce portrait d'apparat fut réalisé par Hyacinthe Rigaud l'année même où le roi installa sa chambre au centre du palais de Versailles. Le tableau fut présenté en 1702, dans le Grand Appartement, à l'admiration dévote des courtisans.

Ce tableau, sorte d'emblème de la monarchie absolue de droit divin, serait, en fait, un montage réalisé à plusieurs mains dans l'atelier de Rigaud : la tête, esquissée par Prieur, un des élèves, aurait été peinte sur une toile indépendante, puis fixée sur la grande toile. Tout oppose, en effet, la partie inférieure du corps – des jambes de jeune homme, gainées de soie, amorçant un pas de danse – et la partie supérieure – le visage réaliste d'un homme alors âgé de 63 ans.

Vieil homme avec un corps de jeune homme, Louis XIV est paré des insignes de la royauté : le collier de l'ordre du Saint-Esprit, le sceptre – tenu à l'envers, comme une canne ! –, la couronne fermée, la main de justice, et il y apparaît comme hors du temps, dans une sorte d'éternité. Le tableau de Rigaud construit ainsi un portrait qui rassemble « les deux corps du roi » : le roi symbolique (la grandeur et les attributs de la monarchie) et le roi physique, la personne de Louis XIV. Ce roi physique est saisi à différents moments de sa vie : maître d'œuvre d'une cour mondaine et brillante (les éléments du costume mondain, sous le manteau du sacre, contribuent à créer une distance entre les symboles de la royauté et la personne du roi), en perpétuelle représentation, grand amateur de ballets mais aussi souverain absolu d'un règne déjà long de quarante-sept ans.

Louis XIV affectionnait ce tableau à tel point qu'il ordonna d'en multiplier les copies. Saint-Simon n'hésita pas à appeler Rigaud « le premier peintre de l'Europe, pour la ressemblance des hommes et pour une peinture forte et durable ». À partir de 1702, nombre d'artistes, de peintres ou de graveurs reproduiront cette même figure et sa pose, sans y presque rien changer.

Et l'atelier de Rigaud réalisa, jusqu'en 1715, un très grand nombre de « Louis XIV », de dimensions variées, en armure ou en manteau de sacre, en pied ou en buste, qui furent immédiatement répandus en France et dans les cours d'Europe.

L'épée, remise solennellement au souverain lors du sacre, symbolise sa fonction de roi de guerre, protecteur de la « nation France ».

À droite : tableau saturé des insignes de la royauté, Louis XIV en habit de sacre est un bel exemple d'art officiel, à l'origine de nos portraits de chefs d'État.

1693-1694; 1709

Les crises dramatiques de la fin du règne

La guerre, le budget en déficit et des crises de subsistances assombrissent les années 1690-1715 : le luxe et l'opulence de Versailles ne doivent pas masquer la réalité vécue par vingt millions de Français dont beaucoup souffrent et meurent à quelques lieues du château...

Une des rares intrusions de la réalité sociale à Versailles : cette représentation sur le plafond de la galerie des Glaces de la crise de 1661-1662.

En 1693, Louis XIV et l'État royal sont confrontés à une grave crise économique provoquée par une succession de mois anormalement froids et pluvieux : des pluies diluviennes ont marqué l'été 1692, puis l'année 1693, avec un hiver sec et rigoureux en 1693-1694 (– 13 °C, à Paris le 24 janvier 1694), suivi d'une sécheresse en 1694 (en six mois, de janvier à juin, il ne tombe que 94 millimètres de pluie à Paris – contre 252 et 303 en 1692 et 1693). Aux halles de Paris, au printemps 1694, pendant plusieurs marchés de suite, les marchands n'apportent ni blé, ni seigle, ni orge. Le setier de blé, qui était à 34 livres le 3 avril, atteint 52 livres le 1er mai. Quatre jours de processions sont organisés dans les paroisses les 24, 25, 26 mai, culminant par une procession générale le 27, où les châsses de sainte Geneviève et de saint Marcel sont portées à Notre-Dame. Un peu partout autour de Paris, des scènes de pillage se multiplient (convois de blé attaqués, boulangeries mises à sac...). La récolte de l'année 1694 fut, grâce à des pluies enfin revenues, meilleure.

Les conséquences démographiques des deux années de « stérilité », 1692 et 1693, ont été dramatiques, en parti-

La milice créée en 1688 est une des manifestations du poids de la guerre sur l'ensemble de la société : chaque paroisse doit fournir son contingent d'hommes et les équiper à ses frais.

Une image de la disette de 1709 et de l'effort de l'État royal pour distribuer de la farine et du pain à une population affamée.

culier entre octobre 1693 et juillet 1694. Les pertes humaines, dues à la faim, à la maladie, aux épidémies (typhoïde, scorbut, ergotisme…) qui se sont abattues sur des corps affaiblis, peuvent être chiffrées essentiellement d'après des statistiques réalisées à partir des registres paroissiaux : certains historiens évaluent le nombre des victimes à 1 600 000, au moins, d'autres avancent le chiffre de deux millions de morts. La France n'aura jamais connu de catastrophe démographique analogue à celle qui la secoua durant ces années. Ni les guerres de la Révolution et de l'Empire (1 350 000 morts en vingt-trois ans, dans une France de trente millions d'habitants), ni évidemment la guerre de 1870, ni celle de 1939-1945 n'ont provoqué autant de morts en si peu de temps.

Dans la seule année 1693, il y eut peut-être 20 % de morts sur le total de la population adulte, ce qui se traduisit par une perte immédiate des bénéfices de la politique de Colbert. Les famines de 1693-1694 furent d'autant plus redoutables dans les grandes plaines de l'Île-de-France que cette région tendait à se spécialiser dans la production du blé pour nourrir une capitale en croissance continue (ville de 450 000 à 500 000 habitants, la capitale consomme, en moyenne, de 4 000 à 5 000 hectolitres de blé par jour, essentiellement du froment). L'évolution vers la monoculture ne pouvait qu'entraîner une catastrophe en cas de crise climatique. Ce ne fut pas le cas dans les pays de bocage, où la polyculture favorisait une plus grande résistance des populations aux effets des désordres météorologiques : la Bretagne, notamment, climatiquement privilégiée, fut moins touchée. D'autres régions également, en particulier l'Est et le Sud-Est.

Les difficultés de la population furent accrues par la surfiscalisation provoquée

FÉNELON INTERPELLE LOUIS XIV : « VOS PEUPLES MEURENT DE FAIM ! »

C'est en 1693 ou 1694 que Fénelon écrit une *Lettre anonyme à Louis XIV* devenue célèbre. Mme de Maintenon et le duc de Beauvillier en eurent connaissance, et peut-être le roi lui-même. Dans cette lettre, Fénelon met en garde le souverain : le pouvoir monarchique, écrit-il, est corrompu parce qu'il est devenu un véritable despotisme dont les ministres sont les instruments. « Depuis environ trente ans, vos principaux ministres ont ébranlé et renversé toutes ➢

par les guerres : entre 1685 et 1695, la hausse de l'impôt s'éleva à 35 %. Ainsi, le fisc frappa à contretemps, bouleversant un peu plus l'équilibre précaire des budgets des paysans et des artisans.

Aux effroyables années 1693-1694 succède en 1709 un terrible « grand hiver » (– 20 °C en janvier et février) qui tue les semences et affecte surtout le nord du royaume. Il s'accompagne lui aussi de disettes, puis de famines et d'épidémies (dysenterie, typhoïde...). Les femmes de la halle viennent en cortège à Versailles pour réclamer « du pain et la paix »...

L'hiver a été particulièrement froid en janvier et en février 1709. Des témoignages rapportent que, cette année-là, le vin gela dans les verres à Versailles. À cet hiver polaire succéda un printemps trop pluvieux qui provoqua une pénurie alimentaire accompagnée des habituelles envolées des prix sur les marchés et les halles. Les effets en furent particulièrement désastreux dans le nord et l'est du royaume. Mais la Bretagne a été, dans l'ensemble, épargnée et le Midi peu touché.

Le marquis de Sourches a consigné dans son journal les effets de ce terrible froid et les rumeurs qui se diffusent à Versailles.

Le 7 avril, on ne parlait alors, explique-t-il, que de « l'effroyable cherté du blé », causée par le mauvais temps, qui faisait désespérer d'en pouvoir récolter cette année. La famine s'était répandue en Dauphiné, en Provence et en Languedoc, provoquant des attroupements, parfois des pillages, comme à Bordeaux, à Beauvais, et d'autres débordements.

Le 11 avril, le bruit courait que le roi avait taxé pour deux ans le setier de blé à 20 livres; « mais cette sage précaution ne servait à rien si on ne faisait ouvrir les greniers de ceux dont l'avarice voulait profiter de la misère du peuple dans cette conjoncture très fâcheuse de la cherté universelle du blé ».

Le 4 mai, on ne parlait que des désordres que la cherté de pain faisait dans toutes les parties du royaume, et particulièrement à Paris où, ce jour-là, cent bateliers de la Grenouillère vinrent, armés de crocs, piller le marché de l'abbaye de Saint-Germain-des-Prés. La

Encadré : cette gravure représente la mise en place, en 1695, de la capitation, un nouvel impôt payable par tous on fonction des revenus et du statut dans la société.

Le « secours du potage » pour les plus démunis. Mais l'élégance des vêtements et la pose des personnages ne suggèrent nullement une image de pauvreté…

garde qu'on y avait mise du régiment des gardes ayant été renforcée de trente hommes, on courut après ces mutins, et on en prit trois, qu'on mit dans la prison de l'abbaye…

Le 26 août, dans un long mémoire remis au roi, Nicolas Desmarets, le contrôleur général, dénonce « la mauvaise disposition des esprits de tous les peuples », las de la guerre, prêts à la révolte : en Normandie déjà, des mouvements séditieux avaient eu lieu, alors que dans d'autres provinces, la troupe parvenait à peine à contenir un mécontentement grandissant.

Reprenant une série de critiques et d'arguments déjà énoncés par Pierre de Boisguilbert ou par Vauban, le ministre évoquait l'interruption de la circulation de l'argent, les mauvaises rentrées de l'impôt. Il dénonçait aussi la cherté des blés, le défaut de consommation des produits alimentaires et manufacturés, bref un ensemble de maux dus à la conjonction d'une mauvaise récolte, d'une disette et de l'excès de la fiscalité ordinaire et extraordinaire qui prenait la forme d'offices, d'aliénation des domaines, de constitution de rentes, de taxes multiples.

Cette fiscalité produisait, selon lui, la cessation du travail et paralysait toute l'économie. « À tous ces maux concluait-il, il n'est pas possible de trouver des remèdes que par une prompte paix. »

Assurément, loin des fastes de Versailles, les « années de misère » de la fin du règne de Louis XIV ont pesé sur une société déjà fragilisée par le poids de la guerre.

➢ les anciennes maximes de l'État, pour faire monter jusqu'au comble votre autorité qui était devenue la leur parce qu'elle était dans leurs mains. On n'a plus parlé de l'État ni des règles, on n'a plus parlé que du roi et de ses plaisirs. » La politique extérieure, particulièrement, en cette douloureuse fin de règne dominée par des guerres longues, épuisantes, coûteuses, fait l'objet des plus vives attaques : « On a causé depuis plus de vingt ans des guerres sanglantes. » Et les conflits militaires, avec leur cortège de destructions, avec leurs exigences fiscales, provoquent la ruine économique, anéantissent le commerce, appauvrissent la société :

» Vos peuples, que vous devriez aimer comme vos enfants, et qui ont été jusqu'ici si passionnés pour vous, meurent de faim. La culture des terres est presque abandonnée ; les villes et la campagne se dépeuplent, tous les métiers languissent, et ne nourrissent plus les ouvriers. Tout commerce est anéanti. Par conséquent, vous avez détruit la moitié des forces réelles du dedans de votre État pour faire et pour défendre de vaines conquêtes au dehors […].

La France entière n'est plus qu'un grand hôpital désolé et sans provisions.

Les magistrats sont avilis et épuisés. La noblesse, dont tout le bien est en décret, ne vit que de lettres d'État […]. Le peuple même, qui vous a tant aimé, commence à perdre l'amitié, la confiance, et même le respect. »

1710

La chapelle royale

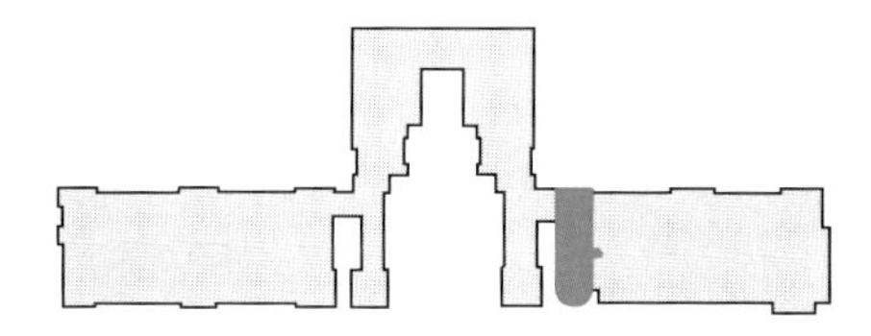

Dessinée par Jules Hardouin-Mansart, construite par son beau-frère, Robert de Cotte, la chapelle définitive du château est enfin consacrée. Elle est dédiée à Saint Louis, fondateur, au même titre qu'Hugues Capet, de la dynastie royale.

Ci-contre : Robert de Cotte (1656-1735), ultime architecte de Versailles sous le règne de Louis XIV, prit en charge, après la mort de Mansart en 1708, le chantier de la chapelle royale.

La chapelle est un sommet de l'art absolutiste où peut s'exprimer pleinement la religion du roi dont tout Versailles témoigne.

Le 26 avril 1710 au matin, après la messe, le roi alla voir sa chapelle neuve, qu'il visita de tous les côtés en se faisant tout expliquer ; ensuite, « il fit chanter un motet par toute sa musique pour se rendre compte de l'effet produit. Un mois plus tard, le matin du 22 mai, le souverain, après sa messe, alla encore visiter sa chapelle neuve, où il régla tous les postes que sa garde y devait tenir et toutes les autres choses qu'on devait observer pendant le service divin, pour les sermons et pour les cérémonies ». Tout le monde, précise le marquis de Sourches, fut très content de la magnificence de cet édifice et de la beauté des peintures. Le matin du 5 juin, le duc et la duchesse de Bourgogne, avec leur cour, assistèrent à la bénédiction de la chapelle neuve du roi par le cardinal de Noailles, archevêque de Paris. Économie de guerre oblige, l'édifice est construit à partir des pierres de calcaire de Créteil. La conception d'ensemble est celle d'une chapelle palatine, avec une disposition sur deux étages : le souverain et sa famille peuvent ainsi assister aux offices et aux grandes cérémonies religieuses

Avant la construction de la chapelle royale, le lieu principal du culte, presque carré, était délimité par les murs qui forment aujourd'hui le salon d'Hercule au premier étage et le vestibule actuel au-dessous.

Louis XIV reçoit le serment du marquis de Dangeau, grand maître des ordres réunis de Notre-Dame du mont Carmel et de Saint-Lazare, dans la chapelle du château de Versailles.

À droite : la grandeur sereine de la chapelle est bien exprimée par la pierre blanche du calcaire de Créteil. Elle annonce le dépouillement et la sobriété majestueuse du style architectural du siècle des Lumières.

Cette pietà de Corneille Van Cleve fait partie du décor de la chapelle royale.

depuis la tribune royale à l'étage supérieur, tandis que la cour se rassemble au parterre. Étrangement, la chapelle est inspirée, dans sa forme extérieure, de l'architecture gothique : il s'agit là d'un manifeste politique contre une chapelle qui répondrait à une conception « romaine », c'est-à-dire couronnée d'une coupole. Le modèle choisi fut celui de la Sainte-Chapelle, à Paris. On peut lire ici une traduction architecturale du gallicanisme politique (la souveraineté du roi avant celle du pape) qui caractérise le règne de Louis XIV.

La décoration intérieure a été réalisée sous la direction de Robert de Cotte. Ce dernier a fait appel aux sculpteurs les plus éminents (Corneille Van Cleve, Pierre Lepautre, Guillaume Coustou), aux peintres Charles de La Fosse, Antoine Coypel, Jean Jouvenet. Le programme de la voûte déploie le thème de la Trinité, au centre de laquelle Dieu le Père apparaît dans un geste de bénédiction. Le Christ ressuscité est représenté dans la calotte de l'abside ; la descente de l'Esprit saint est placée au-dessus de la tribune royale.

À la vue de cette grande chapelle gothique, le visiteur qui parvient au château peut observer un étrange effet d'optique : depuis la place d'armes, bien avant d'aborder la grille d'entrée du château, sur la droite, au nord, s'impose, au-dessus de tous les bâtiments, la pierre blanche de la nef élancée de la

La piété ostentatoire de Louis XIV a frappé les contemporains, notamment à la fin du règne, marquée à Versailles par une atmosphère dévote qui a pesé à bien des courtisans.

La chapelle de Versailles est avant tout un majestueux vaisseau de pierre conçu pour la pompe royale et les fastes de la cour, d'où le souverain, de sa tribune, peut observer tous et chacun.

chapelle royale. Il s'agit bien de l'édifice le plus élevé du château. Or, une fois passé la grille d'entrée, quand on monte vers la cour de Marbre, la nef de la chapelle semble s'abaisser, pendant qu'inversement, à mesure de la montée vers le bâtiment central, le noyau du château, autour de la cour de Marbre, s'impose à la vue. Si bien qu'avant même de parvenir à la cour de Marbre, toute trace visible de la chapelle a disparu : elle est comme absorbée par le château.

Au contraire, dans la cour de Marbre se détachent, faisant face au soleil levant, dans une centralité impérieuse, les fenêtres allongées de la chambre du roi, la chambre définitive, celle qui fut mise en place, après bien des hésitations, sur l'ordre de Louis XIV en 1701.

Peut-on mieux mesurer qu'ici, à Versailles, « architecture parlante » de l'État absolu, ce qu'il est possible d'entendre par « religion du roi » ?

La voûte de la chapelle royale est consacrée à Dieu : la Résurrection au-dessus de l'autel ; Dieu le Père au centre ; le Saint-Esprit au-dessus de la tribune, là où se trouve le roi : la colombe de l'Esprit saint plane ainsi juste au-dessus du souverain. Comme au jour du sacre, elle descend sur l'oint du Seigneur.

1711-1714

Le temps des deuils

Les dernières années du règne se teintent de couleurs sombres : autour du roi, la mort frappe un à un les héritiers potentiels, pour ne laisser la place qu'à un enfant fragile, âgé de 2 ans, le futur Louis XV, le dernier arrière-petit-fils du roi…

Ci-contre : la mort de son fils Louis de France, le Grand Dauphin, survenue le 14 avril 1711, causa un immense chagrin au roi.

Le 14 avril 1711, à Meudon, le Grand Dauphin, fils du roi, décède. À cette nouvelle, explique Torcy, le souverain ne put parler : « Sa douleur et ses larmes lui coupaient la parole chaque fois qu'il voulait s'expliquer. » Louis XIV associe désormais son petit-fils, le Dauphin donc, au gouvernement : le souverain virtuel est le duc de Bourgogne, le petit-fils du roi, alors âgé de 29 ans, resté toujours fidèle à son bon maître Fénelon.

Ce dernier, en exil forcé dans son archevêché de Cambrai, envisage l'avenir sous des couleurs moins sombres : peut-être même sera-t-il bientôt associé au gouvernement ?

Hélas, tous ces espoirs sont ruinés les 12 et 18 février 1712 quand décèdent successivement d'une rougeole la duchesse, puis le duc de Bourgogne.

Devant ces deuils à répétition, une rumeur circula, accusant Philippe d'Orléans d'avoir empoisonné ses cousins afin de s'approcher de la couronne. La calomnie s'amplifia quand mourut à son tour, en mars, le petit duc de

Louis XIV reçoit en 1714 le futur Auguste III de Saxe (en habit rouge) dans sa chambre au château de Fontainebleau. La famille royale est en grand deuil, en particulier la duchesse de Berry (à droite), depuis la mort de son mari, dernier petit-fils de Louis XIV. Au centre du tableau, La princesse Palatine.

Ci-dessus : un portrait de Louis XV en costume royal, par Hyacinthe Rigaud. Âgé de 5 ans en 1715, Louis XV est désormais le dernier espoir de la dynastie.

À droite : le duc de Bourgogne, petit-fils de Louis XIV et héritier après la mort du Grand Dauphin, décède en février 1712, moins de deux ans après son mariage, en juillet 1710.

Bretagne, âgé de 5 ans, le fils du duc et de la duchesse de Bourgogne. Le duc d'Anjou, futur Louis XV, son petit frère, qui n'avait que 2 ans, fut sauvé par sa gouvernante, Mme de Ventadour, qui l'arracha à ses médecins.

Et la mort frappe encore, et toujours, autour du vieux roi : le 16 avril 1713 meurt à Versailles le duc d'Alençon, un bébé de 20 jours, fils du duc de Berry; le 4 mai 1714, c'est au tour du jeune Charles de France, duc de Berry, le frère cadet du duc de Bourgogne et de Philippe V...

Le souverain fut, on le devine, particulièrement affecté par toutes ces disparitions : « On ne parle plus, explique la princesse Palatine, des trois Dauphins et de la Dauphine, de peur d'y faire songer le Roi. » Saint-Simon rapporte ici les effets de la mort de la Dauphine (la duchesse de Bourgogne), dont le roi appréciait particulièrement la jeunesse, la vivacité, l'espièglerie : « En perdant la charmante Dauphine, Louis XIV perdit tout le plaisir et l'amusement de sa vie; c'était la seule de tout ce qu'il avait jamais eu de famille, qui eut su s'apprivoiser avec lui et l'apprivoiser avec elle; ainsi avec elle tout lui manqua pour l'adoucissement de ses malheurs et de sa vieillesse. »

Cette gravure représente le mausolée érigé en 1701 pour la cérémonie funèbre de Philippe de France, duc d'Orléans, frère unique de Louis XIV. Ce décès marqua le début d'une succession de deuils dans la famille royale.

Une pareille succession de deuils, dramatique, fit craindre au roi, jusqu'à son dernier souffle, l'extinction de sa maison : tout l'avenir de la dynastie reposait sur les frêles épaules du quatrième Dauphin, Louis, duc d'Anjou, le futur Louis XV, né le 15 février 1710. Il est le seul héritier qui fût épargné d'une mort précoce.

1715

Un Persan à Versailles

L'arrivée en France de l'ambassade de Perse en février 1715 fut l'ultime manifestation diplomatique du règne. Et le château s'embrasa, pour la dernière fois du temps de Louis XIV, de tous les feux de la magnificence royale.

Ci-contre : Montesquieu (1689-1755), auteur des *Lettres persanes*, philosophe du siècle des Lumières et témoin privilégié de la fin du règne de Louis XIV.

Les *Lettres persanes* (1721) rapportent la correspondance imaginaire de deux Persans venus en Europe. C'est, en fait, une critique subtile de la société française et un révélateur de l'engouement pour une mode « persane ».

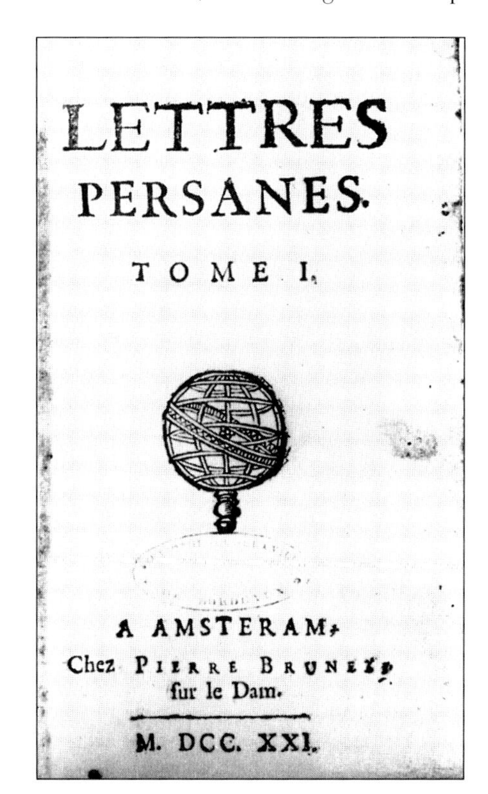

LETTRES PERSANES.

TOME I.

A AMSTERAM,

Chez PIERRE BRUNEL, fur le Dam.

M. DCC. XXI.

Dès son arrivée, Mehemet Reza Beg bénéficia d'un intérêt considérable auprès de la population parisienne et des courtisans : à Charenton, où l'ambassadeur séjourna quelque temps, l'empressement des dames, explique le baron de Breteuil, introducteur des ambassadeurs, était si grand et si précipité qu'il y avait chaque jour plus de quarante carrosses à six chevaux pour le voir. Cette curiosité n'est pas étrangère à la naissance d'une « mode persane », dont Montesquieu, avec ses *Lettres persanes* (1721), qui s'inspira de cette visite, offre le témoignage le plus éclatant.

Mehemet Reza Beg avait été envoyé en France par son maître, le chah de Perse, Hussein Mirza, afin d'entreprendre des négociations politiques, militaires et commerciales. Pour recevoir ce représentant « du plus magnifique souverain de l'Orient », le baron de Breteuil proposa au roi d'élever un trône au bout de la galerie des Glaces afin de « frapper les yeux » de l'envoyé « du plus magnifique souverain de l'Orient ».

Dans le cadre des relations cérémoniales avec les puissances étrangères, à deux reprises déjà, la galerie avait été choisie pour manifester avec un éclat particulier la puissance royale.

Le roi décida, comme il avait coutume de le faire, d'accueillir simplement l'ambassadeur perse dans une des pièces du Grand Appartement, celle « qu'on appelle du trône, où il n'y a qu'une estrade d'une seule marche et un fauteuil à l'ordinaire ».

Mais, quelques jours plus tard, Louis XIV apprit les exigences imprévues de Mehemet Reza Beg : ce dernier voulait que Torcy, le ministre des Affaires

Pour recevoir l'ambassadeur de Perse, le baron de Breteuil proposa au roi d'élever un trône au bout de la galerie des Glaces afin de « frapper les yeux » de l'envoyé « du plus magnifique souverain de l'Orient ».

étrangères, qu'il prenait pour l'équivalent du grand vizir, le conduise en personne à l'audience du roi ; il tenait aussi à venir à Versailles sur un cheval, ou seul dans un carrosse, « parce que sa loi lui défendait d'être assez près d'un chrétien pour en être touché et de s'enfermer dans une boîte avec lui » ; et il discutait le jour de l'audience, insistant sur une néfaste influence lunaire au mois de février. Aussi, pour rétablir la légitime hiérarchie, le roi décida que la réception aurait finalement lieu dans la galerie des Glaces. Il recevrait donc l'ambassadeur du chah de Perse avec un faste inaccoutumé, « paré des diamants de sa couronne ».

C'est ainsi que, le 19 février 1715, Louis XIV accueillit solennellement Mehemet Reza Beg à Versailles. Précédé de gardes suisses revêtus de leurs habits de cérémonie, l'ambassadeur devait ainsi traverser, à pas mesurés, les 73 mètres de la galerie avant d'atteindre le pied du trône royal placé au fond sur une estrade de huit marches. Le roi, précise le marquis de Breteuil, « avait une mine si haute et un air si majestueux que l'ambassadeur en l'apercevant en fut frappé ». L'habit du monarque était couvert de pierreries ; Louis XIV portait la couronne ; le Dauphin (le futur Louis XV) « et tous les princes qui étaient sur le trône avaient aussi une très grande quantité de pierreries sur leurs habits ».

En définitive le but principal avait été atteint : impressionner l'ambassadeur de Perse, manifester clairement la hiérarchie des puissances.

En 1699, le roi recevait l'ambassadeur du Maroc. La mode « sultane » triomphait quelques années plus tard avec la traduction des *Mille et Une Nuits* par Antoine Galland (le premier volume paraît en 1704).

1715

La mort publique de Louis XIV

Le vieux chêne de Versailles semblait indéracinable : « Sa force, écrivait en 1712 Mme de Maintenon, surprend toujours. » Mais, en cet été de l'année 1715, la « fatigue » du roi est devenue de plus en plus évidente...

Le premier médecin du roi, Fagon (1638-1718), diagnostique une « sciatique ». Il s'agissait, en fait, de la gangrène.

Tout au long du mois de juillet, « la santé du roi s'affaiblissait, et on s'en apercevait », confie le baron de Breteuil. Le 9 août, le roi courut le cerf après dîner (déjeuner) dans sa calèche, une calèche qu'il mena lui-même, comme à son habitude, pour la dernière fois de sa vie. Il parut très abattu au retour de la chasse. Il revint à Marly sur les six heures du soir. Le dimanche 11 août, il tint le conseil d'État, alla se promener au Trianon, « pour ne plus sortir de sa vie » (Saint-Simon).

Le lundi 12 août, le marquis de Dangeau assiste au coucher du roi : « Il me parut, en se déshabillant, un homme mort. Jamais le dépérissement d'un corps vigoureux n'est venu avec une précipitation semblable à la maigreur dont il était devenu en peu de temps ; il semblait, à voir son corps nu, qu'on en avait fait fondre les chairs. » Le 13 août, Louis XIV donne audience de congé à l'ambassadeur de Perse. Le baron de Breteuil note que le roi est resté debout pendant toute l'audience. Ce fut sa dernière action publique.

Les jours suivants, le roi n'interrompt pas ses activités, mais il se fait porter, dans un fauteuil, d'un lieu à un autre. Le 19 août, le roi ne sort plus de son appartement. Une noirceur au pied gauche fait penser pour la première fois à la gangrène. Le 21 août, le souverain accepte une consultation collective de quatre docteurs de la faculté de médecine de Paris, qui confirment le diagnostic de Fagon : la sciatique. Ils prescrivent des purges. Le 24 août, on s'aperçoit que la jambe du roi est noire, jusqu'au pied. Le roi se confesse, à onze heures du soir, au père Le Tellier. Il reçoit l'extrême-onction des mains du curé de Versailles, paroisse du château, en présence du cardinal de Rohan. Mme de Maintenon est presque constamment présente à son chevet.

Le dimanche 25 août, jour de la Saint-Louis, fête royale par excellence – « les tambours sont venus lui donner des aubades », raconte Dangeau dans

« Dieu seul est grand, mes frères », tels furent les premiers mots de l'oraison funèbre de Louis XIV, prononcée par Jean-Baptiste Massillon. (1663-1742).

Le futur Louis XV reçoit les dernières paroles de Louis XIV qui se repent d'avoir trop aimé la guerre.

son journal –, le roi souhaite prendre son repas en public : « J'ai vécu parmi les gens de ma cour ; je veux mourir parmi eux. Ils ont suivi tout le cours de ma vie ; il est juste qu'ils me voient finir. » Pendant le repas, « les vingt-quatre violons et les hautbois ont joué dans son antichambre, dont il a fait ouvrir la porte pour les entendre mieux » (Dangeau). Dans la soirée, après que le roi eut perdu connaissance quelques instants – « une absence d'esprit qui effraya les médecins » –, on décide de lui donner les derniers sacrements.

Le lundi 26 août, « la grande galerie et l'appartement de Sa Majesté étaient remplis comme hier au soir de quantité de seigneurs et de gens de considération qui n'ont point les entrées », continue Dangeau. « Sur les dix heures, on a pansé la jambe du roi [...] on a trouvé que la gangrène gagnait jusque-là, il n'y a plus eu lieu de douter [...] qu'elle vient du dedans et qu'on ne peut y apporter aucun remède. » Le roi, mourant, a demandé à Mme de Maintenon de quitter son chevet et de ne plus revenir, afin « qu'on le laissât mourir en repos ». Il reçoit, vers midi, le petit Dauphin dans sa chambre. Après l'avoir embrassé, le roi lui dit : « Mignon, vous allez être un grand roi, mais tout votre bonheur dépendra d'être soumis à Dieu et du soin que vous aurez de soulager vos peuples. Il faut, pour cela, que vous évitiez, autant que vous le pourrez, de faire la guerre. C'est la ruine de mes peuples ; ne suivez pas le mauvais exemple que je vous ai donné en cela. J'ai souvent entrepris la guerre trop légèrement et l'ai soutenue par vanité ; ne m'imitez pas, mais soyez un prince pacifique et que votre principale application soit de soulager vos sujets. » (Transcription du baron de Breteuil.)

L'AUTOPSIE DU ROI

Le 2 septembre, les médecins procèdent à l'ouverture du corps du roi. Voici le rapport qu'ils signèrent : « Nous avons trouvé ce qui suit : à l'extérieur, tout le côté gauche nous a paru gangréné depuis l'extrémité du pied jusqu'au sommet de la tête, l'épiderme s'enlevant généralement par tout le corps des deux côtés, le côté droit était gangréné en plusieurs endroits, mais beaucoup moins que le gauche, et le ventre paraissait extrêmement bouffi.
À l'ouverture du bas-ventre, les intestins se sont trouvés altérés avec quelques marques d'inflammation [...].
Les reins étaient assez dans l'état naturel, on a trouvé seulement dans le gauche une petite pierre de pareille grosseur à celle qu'il a rendu par les urines plusieurs fois pendant sa vie sans aucun sentiment de douleur. Le foie, la rate, l'estomac et la vessie étaient absolument sains [...].
À l'ouverture de la poitrine, nous avons trouvé les poumons sains [...] ; mais tous les muscles de la gorge étaient gangrénés.
À l'ouverture de la tête, toute la dure-mère s'est trouvée adhérante au crâne et la pie-mère avait deux ou trois taches purulentes le long de la face ; au reste, le cerveau était dans l'état naturel tant en dedans qu'en dehors.
La cuisse gauche dans l'intérieur s'est trouvée gangrénée aussi bien que tous les muscles du bas-ventre et cette gangrène montait jusqu'à la gorge. [...] »

Le mercredi 28 août au soir, il aperçoit dans les miroirs deux de ses garçons de chambre qui pleurent au pied de son lit. Aussitôt, il leur dit : « Pourquoi pleurez-vous ? Est-ce que vous m'avez cru immortel ? Pour moi, je ne l'ai jamais cru être et vous avez dû vous préparer depuis longtemps à me perdre dans l'âge où je suis. »

Le vendredi 30 août, le roi a été toute la journée dans un assoupissement presque continuel « et n'ayant quasi plus que la connaissance animale ; on a trouvé la jambe aussi pourrie que s'il y avait six mois qu'il fût mort, raconte encore Dangeau. Mme de Maintenon s'en est allée à cinq heures à Saint-Cyr pour n'en revenir jamais ».

Samedi 31 août : le roi a été sans connaissance toute la journée. Il a pris un peu de gelée, et quelques verres d'eau. « Quand on lui donne de la gelée ou à boire avec le biberon, il faut lui ouvrir la bouche et lui tenir les mains, parce que sans cela il ôteroit de sa bouche tout ce qu'on lui donne. » (Dangeau.) « Vers onze heures du soir, on le trouva si mal qu'on lui dit la prière des agonisants. Il répéta plusieurs fois : "*Nunc et in hora mortis*" [maintenant et à l'heure de la mort], puis dit : "Ô mon Dieu, venez à mon aide, hâtez-vous de me secourir." Ce furent ses dernières paroles. Toute la nuit fut sans connaissance, et une longue agonie, qui finit le dimanche 1er septembre. » (Saint-Simon.)

Le dimanche 1er septembre, « le roi est mort ce matin à huit heures un quart et demi et il a rendu l'âme sans aucun effort, comme une chandelle qui s'éteint. » (Baron de Breteuil.)

Dès le lendemain de la mort du souverain, le lundi 2 septembre 1715, Philippe d'Orléans fait en sorte, avec l'accord du parlement de Paris, dont il recherchait l'appui, de conserver une grande liberté d'interprétation par rapport au testament royal et à ses deux codicilles qui restreignaient ses pouvoirs de décision : il se fait nommer Régent et obtient l'entrée immédiate, comme chef du conseil, du duc de Bourbon au conseil de Régence. Le duc du Maine doit abandonner le commandement de la maison militaire du roi. Le Régent se retrouve donc, en apparence, maître absolu de l'autorité. Il s'agissait, en fait, d'un marchandage, car au cours de cette séance solennelle du 2 septembre, le duc d'Orléans déclare aux parlementaires, revêtus de leur robe rouge : « À quelque titre que j'aie droit à la régence, j'ose vous assurer, Messieurs, que je la mériterai par mon zèle pour le service du Roi et par mon amour pour le bien public, et surtout

Ce portrait du roi réalisé en cire colorée par Antoine Benoist en 1706 frappe par son réalisme cru, voir cruel. Il permet de mesurer les contraintes assumées pour incarner le « roi-État » que Louis XIV s'imposa jusqu'au bout.

Cette gravure de la chambre mortuaire fut largement répandue dans le royaume, diffusant l'image de la mort publique du roi.

étant aidé par vos conseils et vos sages remontrances ; je vous les demande par avance. »

Le 6 septembre, le cœur de Louis XIV est porté aux Grands Jésuites, maison professe de la Société à Paris. Le 9 septembre, le corps de Louis XIV est porté à Saint-Denis.

Le 12 septembre, Louis XV préside un lit de justice au parlement de Paris pour la déclaration de la Régence.

L'édit du 15 septembre 1715 restitue au parlement de Paris le droit de remontrances avant enregistrement des édits royaux, ce droit que Louis XIV lui avait enlevé en 1673.

Le 23 octobre se déroulent les obsèques solennelles de Louis XIV, à Saint-Denis ; le 28 novembre à Notre-Dame.

« Quel bruit impétueux, quelle rage effrénée
Travaille à l'instant tous les cœurs ?
À peine de Louis la course est terminée,
Ses sujets déchaînés vomissent mille horreurs ;
De libelles grossiers l'injurieux déluge
Inonde la ville et la cour.
La halle même, en critique à son tour,
Au rimeur insolent prête un honteux refuge.
Que faut-il pour vous exciter,
Traîtres adulateurs, troupe avide et servile ?
Le sordide intérêt en éloges fertiles
N'a-t-il plus rien à vous dicter ?
À l'immortalité vos flatteuses promesses
Désormais ne l'élèvent plus.
L'écrivain le plus vil attaque ses faiblesses,
Vous n'osez seulement défendre ses vertus [...] »

Panégyrique de Louis XIV, 1715.

Quant au château, après la mort du roi, il se vide, comme s'il avait perdu toute sa substance. « Hier, écrit la princesse Palatine, on a mené feu notre roi à Saint-Denis. Toute la famille royale est dispersée comme une volée d'étourneaux... »

Pourtant, comme le dit l'adage, « le roi ne meurt jamais », et la monarchie continue. Du reste, le roi Louis XV reviendra à Versailles en 1722.

Cortège mortuaire conduisant le corps du roi à Saint-Denis, dans la nécropole des rois de France.

Cette année-là, le 15 juin, en fin d'après-midi, le jeune souverain, qui avait alors 12 ans, retrouvait le château qu'il avait quitté depuis la mort de son arrière-grand-père. À sa descente de carrosse, près de la cour de Marbre, son premier geste fut d'aller prier à la chapelle devant le saint sacrement.

Puis il alla courir dans les jardins que Louis XIV avait aimé lui faire découvrir, en particulier le labyrinthe. Il se dirigea ensuite vers le Grand Appartement, au premier étage. L'enfant roi ne s'y arrêta pas, mais, traversant les sept pièces, il alla tout droit vers la galerie des Glaces.

Là, il se coucha de tout son long sur le parquet, et il passa un long moment à contempler les peintures de la voûte. Alors, tout l'entourage du souverain l'imita, s'assit par terre autour de lui et regarda les grands tableaux peints par Charles Le Brun à la gloire de « Louis le Grand ».

Si toute sa vie Louis XV admira Versailles et tenta de rester fidèle au modèle de son arrière-grand-père, il s'efforça aussi de créer un « château Louis XV », plus intime, à l'échelle humaine.

Mais il ordonna ces transformations sans altérer, ou presque, le Versailles officiel, majestueux, intimidant, qui est demeuré toujours, et jusqu'à aujourd'hui, le palais du « plus grand roi du monde »…

« Le Roi est mort,
vive le Roi ! »

Louis XV revêtu et entouré des insignes royaux, symboles de la souveraineté dont il est investi le jour même de la mort de son arrière-grand-père.

Versailles : un modèle pour le monde

Versailles exerça un irrésistible pouvoir de séduction auprès des aristocraties de toute l'Europe. Peut-être parce que jamais sans doute un modèle politique n'avait trouvé traduction architecturale et esthétique aussi cohérente.

À droite : Frédéric II, roi de Prusse (1740-1786), fit ériger à partir de 1744 le château de Sans-Souci, en parti copié du Trianon. Là fut créée une enclave de la culture française au cœur du Brandebourg. Les statues du jardin comme les fresques qui ornent le château sont l'œuvre d'artistes français.

Double page précédente : ce tableau de l'école française du début du XVIIIe siècle présente une vue panoramique de Versailles : on distingue la ville, les écuries du château et les jardins à la fin du règne de Louis XIV.

Versailles constitue un modèle capable de « dire » le pouvoir, précisément au moment où, en Allemagne en particulier, se construisaient des États dont le prince voulait et pouvait affirmer son autorité depuis les traités de Westphalie (1648) qui marquent la fin de la longue et sanglante guerre de Trente Ans (1618-1648).

L'époque que les historiens nomment celle du despotisme éclairé fut le plus important moment des imitations européennes de Versailles, alors que de nombreux artistes, artisans, décorateurs formés dans les ateliers versaillais et parisiens du palais du Roi-Soleil et de ses successeurs vont vendre leurs talents aux cours et aux mécénats européens : on retrouve ainsi à Turin et à Madrid, à Bonn et jusqu'à Constantinople, la trace de Robert de Cotte, architecte et beau-frère de Mansart, qui dessinait (depuis

Au Portugal, à Queluz, on reconnaît, tant par la statuaire que par l'ensemble de l'architecture, l'exemple de l'art français.

Plus que jamais, au Capitole, l'architecture est l'expression d'une volonté politique. À Versailles, elle était celle du roi seul. À Washington, les avenues conduisent au Congrès, assemblée qui émane d'un vote du peuple, expression d'un gouvernement véritablement national : le Capitole est le temple d'un culte civil, celui de la démocratie.

Versailles et Paris) pour les souverains étrangers des plans exécutés sous la direction de ses élèves. Dans son ouvrage *Monuments érigés en France à la gloire de Louis XIV* (1765), l'architecte Patte écrit : « Parcourez la Russie, la Prusse, le Danemark, le Wurtemberg, le Palatinat, la Bavière, l'Espagne, le Portugal et l'Italie, vous trouverez partout des architectes français qui occupent la première place. »

Si l'influence de Versailles est inséparable de la diffusion de l'art français, elle est inséparable aussi et surtout de l'influence exercée par la culture de cour que Louis XIV imposa aux nobles et aux grands, et qui fut imitée par toutes les sociétés nobiliaires de l'Europe : il s'agit d'un ensemble de comportements faits de discipline et de contraintes dont la « politesse » apparente et le rituel obligé de l'étiquette sont les normes principales. De Lisbonne à Saint-Pétersbourg, cette froide et minutieuse « rationalité de cour » fascina les élites : école de discipline et de comportement, la société aristocratique de Versailles fut aussi un creuset de l'homme moderne.

Le siècle des Lumières vit la multiplication des pseudo-Versailles avec des allusions et des emprunts au palais principal (la façade, les appartements, la galerie, la chambre…) mais aussi à Marly, au Grand puis au Petit Trianon construit par Louis XV. On imite les jardins (à La Granja, en Castille, par exemple, les fontaines, les perspectives et les effets d'optique de la disposition étagée du parc avec ses terrasses, ses escaliers, ses jets d'eau). Ainsi, après

Washington présente le cas le plus fascinant d'imitation et de détournement du modèle versaillais. Le plan est conçu à partir de 1791 par l'architecte Pierre Charles L'Enfant, qui fut dans sa jeunesse au contact des milieux artistiques parisiens et versaillais. Au bord du Potomac, il réalise une véritable ville-capitale autour de deux centres qui fondent la jeune république : la Maison Blanche et le Capitole.

Versailles sert encore de modèle en Castille, à La Granja, résidence d'été de Philippe V, petit-fils de Louis XIV, roi d'Espagne de 1700 à 1746.

avoir fait construire (à partir de 1744) la résidence de Sans-Souci, en partie copiée du Trianon, Frédéric II (1712-1786), roi de Prusse, fait de Potsdam un Versailles brandebourgeois – une « singerie » dira-t-il – à la façade majestueuse, pour la plus grande gloire d'une Prusse qui vient de vaincre l'Autriche et qui tient à proclamer à toute l'Europe sa prééminence dans le Saint Empire. Seule une carte d'ensemble peut rendre compte de la multiplicité des emprunts, de Queluz, au Portugal, à Peterhof, en Russie, ou à Stockholm (palais royal). Leur énumération serait fastidieuse et chacun mériterait une analyse spécifique mettant en valeur la part de l'imitation et celle de la création originale, car nulle copie conforme du palais de Louis XIV n'a été tentée, sauf peut-être à la fin du XIXe siècle, par Louis II de Bavière, roi mélancolique que les contemporains dirent fou. Sur une île, à Herrenchiemsee, il fit édifier un extravagant Versailles, où il put se croire, un court instant, le maître d'un royaume sans sujets...

À Karlsruhe, en Allemagne, le margrave Karl de Bade pousse à son comble, dès 1715, la formule versaillaise : le château occupe le centre d'un cercle d'où rayonnent en tous sens les voies d'accès.

Quoique plus réservée, l'Europe du Nord reste soumise au modèle versaillais, comme en témoigne le château de Stockholm, en Suède. On reconnaît ici l'influence de l'escalier des Ambassadeurs de Versailles.

1661-1715

Quel fut le prix du Versailles de Louis XIV?

Les dépenses firent le désespoir du contrôleur général des Finances, Colbert, qui préférait le Louvre : « Ô quelle pitié, écrivait-il en 1665, de voir que le plus grand roi et le plus vertueux fut mesuré à l'aune de Versailles ! »

À la mort de Colbert, en 1683, Louvois est nommé surintendant des Bâtiments du roi et assure à son tour la gestion des dépenses de Versailles.

Au-delà des critiques, des polémiques, des exagérations, les *Comptes des bâtiments du roi* permettent d'évaluer avec une certaine précision le coût réel de Versailles en chiffrant les différentes étapes de la construction. Nous savons ainsi que les travaux importants se déroulent dans les périodes de paix, notamment après la guerre de Dévolution (1667-1668) et entre la paix de Nimègue et la guerre de la ligue d'Augsbourg, soit pendant les années 1678-1688, avec la date rupture de 1683. Cette date correspond à la mort de Colbert et à la nomination de Louvois comme surintendant des Bâtiments du roi. Inversement, on observe un net ralentissement des travaux et des dépenses en période de guerre, c'est-à-dire pendant la guerre de Hollande (1672-1679), la guerre de la ligue d'Augsbourg (1688-1697), la guerre de la Succession d'Espagne (1701-1714).

Les années de plus grandes dépenses sont incontestablement 1684-1686. Elles correspondent à la tentative de détournement de l'Eure dans le cadre de la politique de la capture de l'eau menée par Louis XIV : cette folle entreprise a nécessité la construction du viaduc de Maintenon pour franchir la vallée de l'Eure sur plus de 4 kilomètres. Il s'agit là de la dépense la plus importante du chantier : sur 65 millions de livres tournois que représenta l'ensemble des travaux de Versailles entre 1664 et 1690, la somme de 25 millions de livres – soit presque 40 % du total – fut consacrée à la seule maîtrise de l'eau. Ces années 1684-1686 correspondent aussi à la construction très dispendieuse des grandes ailes du Sud et du Nord. Cette construction a permis, à terme, d'aménager deux cent vingt-six appartements et cinq cents chambres pour loger une partie de la cour, plus ou moins commodément suivant les faveurs accordées par le roi : le duc de Saint-Simon, par exemple, occupe à partir de 1710 un dix-pièces-cuisine dans l'aile du Nord du palais.

Ezechiel Spanheim, ambassadeur du Brandebourg à Versailles à la fin des années 1680, évaluait le prix du château, des jardins et des eaux à 80 millions de livres. Il insistait particulièrement sur le coût exorbitant de l'aqueduc de Maintenon, « où plus de trente mille hommes ont travaillé, trois ans durant, pour conduire depuis la distance de seize lieues de France l'eau d'une rivière dans les réservoirs dudit Versailles ». Et Spanheim opposait à l'énormité de cette dépense « la misère du petit peuple et des gens de la campagne, épuisés par les tailles, par les logements des gens de guerre et par les gabelles ».

Les violences de la Fronde expliquent en partie Versailles et la transformation des nobles « malcontents » en nobles courtisans.

En réalité, nous savons que le chiffre des dépenses de Versailles, eaux et jardins (y compris la machine de Marly, l'aqueduc conduisant l'eau de la Seine à Versailles, qui a coûté 3 276 347 livres), s'élève, d'après les comptes des Bâtiments du roi, à 52 420 010 livres de 1664 à 1690.

Dans le détail, le coût des travaux se monte à 2 millions de livres (environ) par an dans les années 1670, à 4 millions de livres par an entre 1684 et 1688.

À ces chiffres il convient d'ajouter les dépenses du Trianon (2 208 742 livres), de Clagny (1 986 209 livres), de Marly (4 218 044 livres) : au total 8 412 995 livres à ajouter aux 52 420 010 livres évoquées plus haut. Versailles aurait donc coûté, entre 1664 et 1690, plus de 60 millions de livres, et, de 1664 à 1715, un peu plus de 80 millions de livres.

Au total, de 1661 à 1715, 82 millions de livres ont été dépensées à ces constructions, ce qui représente environ l'équivalent de plus de cent millions de journées de salaire d'un artisan spécialisé. C'est un peu comme si tous les Français de l'époque (ils étaient alors vingt millions environ) avaient travaillé cinq jours pour le château.

Dans tous les cas, il s'agit là de sommes modérées si on les compare au « budget » d'ensemble de la monarchie : Versailles a coûté l'équivalent de deux ou trois campagnes militaires, à peine plus que le déficit budgétaire de l'année 1715. Autre comparaison : en 1683, l'année de la mort de Colbert – une année de paix pour la France –, on a calculé que, sur 115 millions de livres de dépenses, l'armée, la marine et les fortifications ont coûté 65 millions, c'est-à-dire 56 % de l'ensemble.

Ainsi, le prix de Versailles ne dépassa jamais 3 à 4 % des dépenses de l'État. Surtout, il convient de rapporter tous ces chiffres au bénéfice politique de l'entreprise, incalculable celui-là : car il s'agissait de « tenir » les grands; il s'agissait de transformer définitivement les aristocrates hier encore turbulents et « malcontents », prêts à prendre les armes avec leurs vassaux, en courtisans dévots et fidèles à la cause du roi. La Fronde, révolte des parlements et des grands mécontents de l'autorité accrue du pouvoir royal, qui éclata à Paris et dans de nombreuses provinces du royaume de 1648 à 1653, a sans doute coûté bien plus cher au souverain que l'ensemble des travaux du château.

Le compas dans l'œil : Louis XIV, architecte de Versailles

De multiples sources attestent que, dans tous les cas, de la conception d'ensemble au moindre détail, le roi est intervenu personnellement auprès des architectes, des peintres, des sculpteurs, des jardiniers.

« Le roi alla se promener dans les jardins, où il a trouvé beaucoup de changements qu'il avait ordonnés et dont il est très content », écrit le marquis de Dangeau dans son *Journal de la cour de Louis XIV* le mercredi 13 janvier 1706. Nous savons que, lorsque Charles Le Brun concevait un croquis, il le soumettait au roi et le remettait ensuite, avec son approbation, aux artistes chargés d'exécuter d'abord une maquette précise, puis le modèle définitif. Quant aux fêtes, c'est le roi lui-même qui en ordonnait le déroulement, dans les moindres détails : « Il leur marqua lui-même, explique André Félibien à propos de la fête du 18 juillet 1668, les endroits où la disposition du lieu pouvait par sa beauté naturelle contribuer davantage à leur décoration. Et parce que l'un des plus beaux ornements de cette maison est la quantité des eaux que l'art y a conduites malgré la nature qui les lui avait refusées, Sa Majesté leur ordonna de s'en servir le plus qu'ils pourraient à l'embellissement de ces lieux, et même leur ouvrit les moyens de les employer et d'en tirer les effets qu'elles peuvent faire. »

Lors de ses nombreuses campagnes militaires (le roi est en personne à la tête de ses armées de 1654 à 1693), il n'oublie jamais Versailles. « Mandez-moi l'effet que les orangers font à Versailles dans le lieu où ils doivent être. Continuez à faire tout réparer. » Cette lettre à Colbert, une parmi beaucoup d'autres, écrite le 18 mai 1674 pendant le siège de Besançon, présidé par le souverain, atteste le degré de minutie et de précision de l'attention royale. Saint-Simon, toujours critique, l'explique par un trait psychologique de Louis XIV : « Son esprit, naturellement porté au petit, se plut en toutes sortes de détails. » Mais il ne peut s'empêcher de concéder que le roi a « le coup d'œil de la plus fine justesse » et « le compas dans l'œil ». Un plan du rez-de chaussée du château, antérieur à 1675,

Louis XIV fut non seulement l'acteur principal, mais aussi le véritable metteur en scène de Versailles.

conservé par les Archives nationales, montre des coups de crayon, rapidement tracés, indiquant, en rouge, ce qu'il faut supprimer, en noir, ce qui doit être établi : la main du roi est passée par-là et, si ce n'est sa main, ces traits ont été portés sur son ordre.

Le marquis de Dangeau fait part dans son *Journal* d'un incident qui confirme l'attention extrême de Louis XIV au moindre détail. Le roi trouvait une fenêtre mal ajustée, opinion non partagée par Louvois. Le roi demanda alors l'arbitrage d'André Le Nôtre : « Le roi voulut que Le Nostre l'allât mesurer [la fenêtre], parce qu'il était droit et vrai, et qu'il dirait librement ce qu'il aurait trouvé. Louvois, piqué, s'emporta. Le roi, qui ne le fut pas moins, le laissait dire, et cependant Le Nostre, qui aurait bien voulu ne pas être là, ne bougeait. Enfin le roi le fit aller, et cependant Louvois toujours à gronder et à maintenir l'égalité de la fenêtre avec audace et peu de mesure. Le Nostre trouva et dit que le roi avait raison de quelques pouces. »

En 1687, Jules Hardouin-Mansart, sur ordre du roi, élève le Grand Trianon à la place du Trianon de porcelaine : deux corps de logis, reliés par un péristyle, sans étage, sans statues, et n'ayant pour ornement que le jeu de la pierre alliée aux marbres roses. Tout ici a été conçu et élaboré en suivant les indications précises de Louis XIV.

À l'égard des architectes, des peintres, des jardiniers, l'autorité du roi semble s'être manifestée de façon si oppressive qu'on peut douter de leur liberté d'action. Sans doute peut-on objecter que le souverain, qui n'était en rien un spécialiste, faisait de l'architecture « avec sa canne », mais sans crayon, et que toutes ses idées, de ce fait, restaient conditionnées par celles des architectes. Mais tout prouve, au contraire, que sa pensée s'imposait à la fois par l'énoncé des directives générales et, au niveau du détail, par le choix entre les solutions rédigées. Dans ce système réellement tyrannique d'absolutisme architectural, il semble que l'architecte se soit trouvé réduit à un rôle d'interprète, d'exécutant, chargé de traduire la pensée du souverain en langage de spécialiste, c'est-à-dire en dessins et en termes techniques.

Versailles est bien l'œuvre la plus personnelle de Louis XIV...

Pendant la guerre de Hollande (1672-1679), ici représentée sous forme d'allégorie dans la galerie des Glaces, jamais Louis XIV ne perd de vue Versailles, ainsi que l'atteste sa correspondance.

Le plus grand chantier du XVIIe siècle

Un chantier énorme, démesuré, d'un bout à l'autre du siècle. Styles nouveaux, techniques innovantes : Versailles va transformer la plupart des châteaux et palais d'Europe.

1607. À l'occasion d'une chasse, Louis, le Dauphin, fils d'Henri IV, âgé de 6 ans, découvre pour la première fois Versailles.

Années 1610. Devenu roi, Louis XIII aime revenir chasser à Versailles. Il dort parfois dans le manoir presque abandonné que possède la famille de Jean-François Gondi, seigneur du lieu, ou dans des auberges du village.

1623. Le jeune Louis XIII décide la construction d'un relais de chasse royale sur la petite colline de Versailles. La butte est occupée par un moulin à vent, cernée de forêts et de marais. Un maître maçon nommé Nicolas Huau dirige le chantier.

1624. Le premier château est achevé.

3 novembre 1626. Le roi reçoit à Versailles Marie de Médicis, sa mère, et Anne d'Autriche, sa femme.

22 septembre 1630. Premier inventaire connu du château.

10-11 novembre 1630. La « journée des Dupes » se dénoue à Versailles.

1631-1634. Le château est embelli et agrandi par l'architecte Philibert Le Roy; la superficie du domaine de Versailles est doublée.

1632. Louis XIII achète la seigneurie et Versailles devient terre royale.

1636. Creusement d'un bassin face au château, dans la perspective ouest, au creux du vallonnement le plus ample, afin de le drainer.

1639. Une équipe de jardiniers remanie le jardin auquel conduisent depuis le château un perron et une terrasse. Claude Mollet, le concepteur de ce nouveau jardin, a laissé une œuvre posthume publiée à Paris en 1652 : *le Théâtre des plans et jardinages…* Ce traité se singularise par l'importance des connaissances scientifiques appliquées à l'art des jardins. André Le Nôtre s'en inspirera.

1643. Mort de Louis XIII. Le château de Versailles est délaissé.

1651. Le 18 avril, à l'occasion d'une partie de chasse, Louis XIV découvre le château bâti par son père. Il est frappé par l'état de délabrement et d'abandon des lieux. Les séjours du roi à Versailles sont désormais nombreux, mais brefs.

1661. 1 500 000 livres sont affectées cette année-là à la rénovation du domaine de Versailles. Cette rénovation débute en septembre, immédiatement

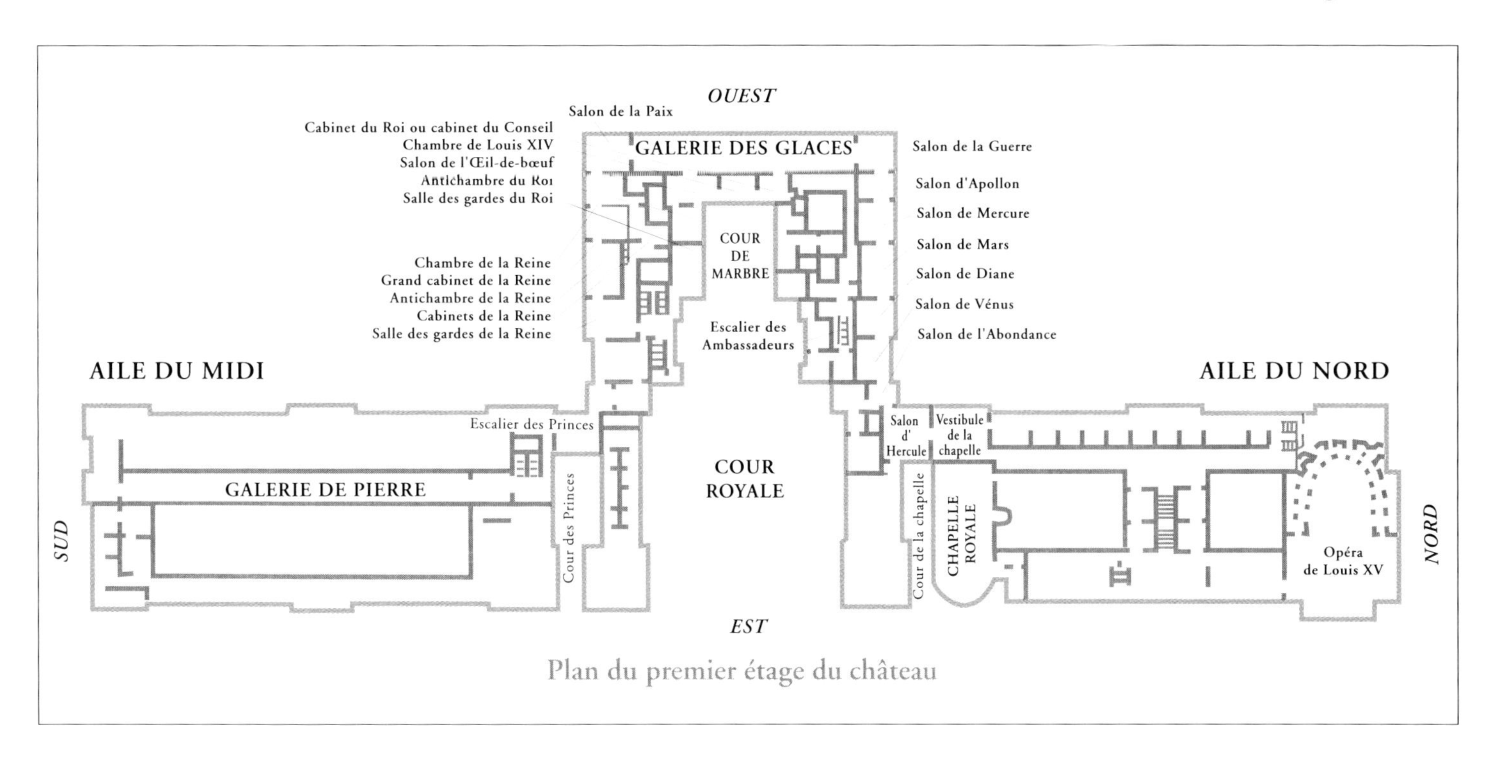

Distribution des principaux espaces du premier étage du château.

après l'arrestation de Nicolas Fouquet à Nantes (5 septembre) à la suite de la fête de Vaux (17 août). Le château abrite alors la passion du jeune roi pour Louise de La Vallière…

1663. André Le Nôtre redessine les jardins de Versailles. Construction de la première orangerie et de la Ménagerie par Le Vau. Les dépendances de l'avant-cour édifiées pour Louis XIII sont démolies et remplacées par deux bâtiments parallèles, en brique et en pierre, abritant à gauche les écuries et à droite les cuisines. Première fête à Versailles.

Charles Errard et Noël Coypel décorent quelques pièces des appartements.

1664. Colbert est nommé surintendant des Bâtiments du roi (2 janvier). Charles Perrault le seconde dans cette charge.

Fêtes des Plaisirs de l'île enchantée (du 7 au 13 mai).

1665. Les premières statues sont dressées dans les jardins. Début de l'aménagement de la grotte de Téthis. Le roi commande aussi une décoration nouvelle pour son appartement. On observe dans les années 1660 un appel massif aux artistes italiens invités à participer au chantier de Versailles : les ébénistes Cucci et Caffieri, les sculpteurs Temporiti et Tuby…

1666. Inauguration des premières Grandes Eaux de Versailles.

1667. Début de la construction du Grand Canal. Colbert avait consulté à ce sujet l'Académie des sciences, et on « entreprit le canal sur leur parole ».

1668. Louis XIV décide d'agrandir le château. Construction du labyrinthe destiné à l'amusement et à l'éducation du Dauphin. Le 18 juillet, une grande fête est donnée dans les jardins, au retour de la campagne de la Franche-Comté.

1668 à 1672. Des plantations massives sont effectuées à Versailles. Elles se traduisent par l'apport de cent trente mille arbres.

1669. Le roi adopte le projet de Le Vau, qui a conçu, côté jardin, une « enveloppe de pierre » autour des bâtiments datant de Louis XIII, que le roi a tenu à conserver, contre tous les avis.

Tuby réalise *Apollon sur son char* (achevé en 1670). Cet ensemble de sculptures met en valeur l'axe apollinien, est-ouest, qui commande toute la structure des jardins jusqu'au château.

Mise en place du premier Grand Escalier, à une volée, par Le Vau.

1670. Pavage de la cour et des avant-cours du château. Au pied du château, la cour ornée d'un bassin est dallée de marbre et surélevée de trois marches afin d'interdire l'accès aux carrosses.

Mort de Le Vau, architecte principal de Versailles, remplacé par D'Orbay.

Construction du Trianon de porcelaine.

1671. Développement de l'urbanisation de Versailles. Au château, la construction de l'enveloppe de pierre s'achève. Charles Le Brun réalise le programme iconographique du Grand Appartement, auquel il travaille jusqu'en 1681.

1672. La construction du Grand Canal est achevée. Il mesure 1 800 mètres dans le sens ouest-est, 1 500 mètres dans le sens nord-sud, pour 60 mètres de large. Commencement de la construction de l'appartement des Bains, au rez-de-chaussée du château.

1673. Le Grand Appartement du roi est très avancé. Le marbre règne partout, du marbre français, du Languedoc et des Pyrénées, de plus en plus précieux à mesure que l'on approche de la chambre du roi.

Début de la démolition du village ancien.

Aménagement des quatre bassins des Saisons : Flore, Cérès, Bacchus et Saturne représentent respectivement le printemps, l'été, l'automne et l'hiver.

1674. La « Grande Commande » : l'ensemble du parterre, au pied de la Grande Galerie, reçoit un ambitieux programme, imaginé par Charles Le Brun, de vingt-quatre statues allégoriques entourant une pièce d'eau surmontée d'une « fontaine du Parnasse » dédiée à Apollon.

Début de la construction de l'escalier des Ambassadeurs, qui sera terminé en 1680.

1675. Appartement des Bains au rez-de-chaussée du château. Il s'agit d'un appartement de cinq pièces superbement décoré, notamment par un brocart aux bergers et bergères. La chambre des Bains comprend un lit avec une alcôve accompagnée de deux tabourets pour se reposer après le bain. Le cabinet où le roi prend son bain comporte une grande cuve de marbre, deux petites baignoires et des banquettes. Cette curiosité unique en Europe, le roi ne manque pas de la faire découvrir aux visiteurs de marque de passage à Versailles.

Ce grand appartement des Bains a eu une vie éphémère : en 1685, le roi le fit transformer, alors que l'on venait à peine d'en achever la décoration deux

Plan actuel du domaine de Versailles.

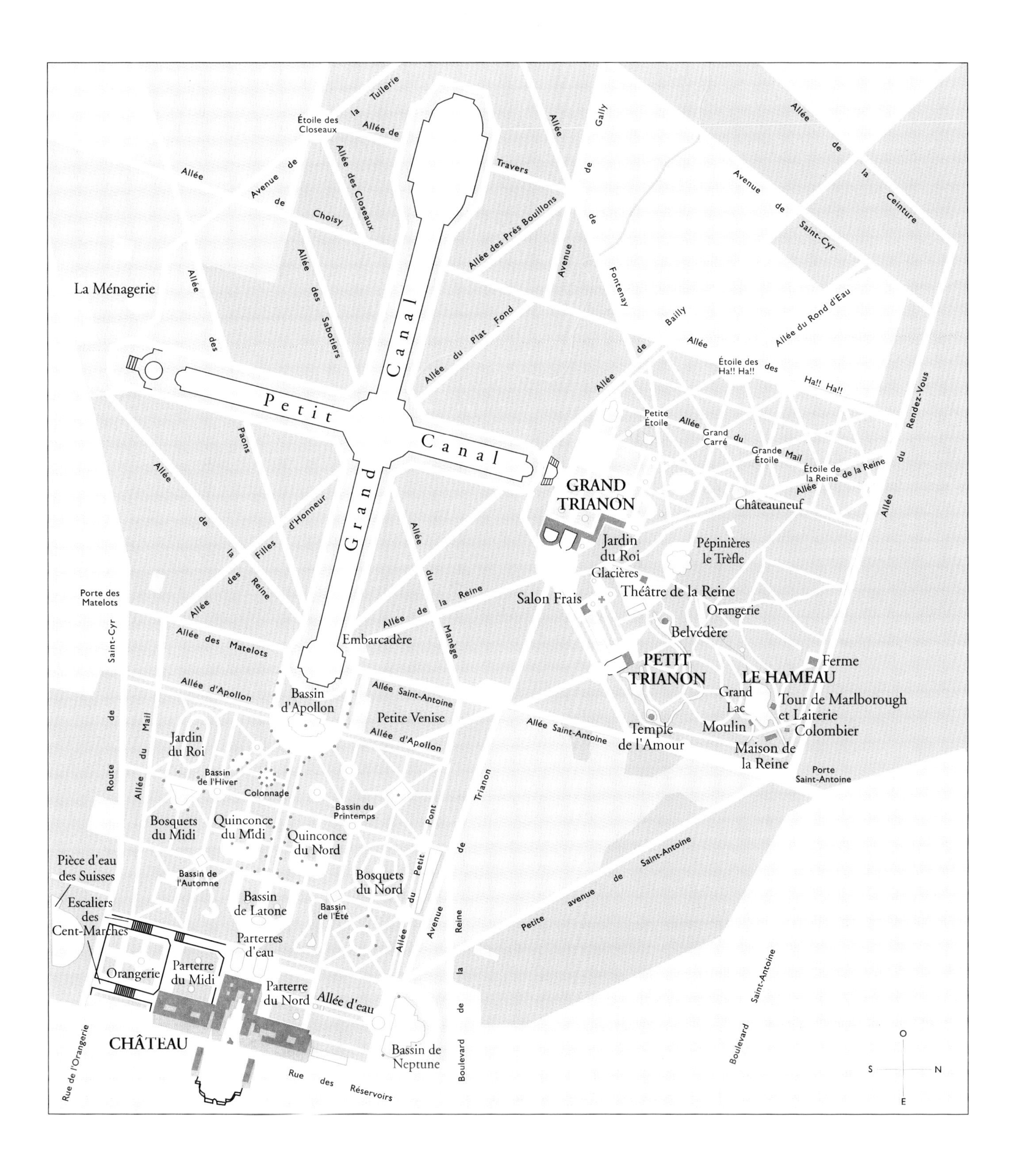
Étoile des Closeaux
Allée de la Tuillerie
Allée des Closeaux
Allée Avenue de de Choisy
Allée des Sabotiers
La Ménagerie
Allée des Paons
Allée de Gally
Travers
Allée des Prés Bouillons
Avenue de Fontenay
Allée de la Ceinture
Avenue de Saint-Cyr
Allée de Bailly
Allée du Rond d'Eau
Allée du Plat Fond
Étoile des Ha!! Ha!!
Allée des Ha!! Ha!!
Petit Canal
Grand Canal
Petite Étoile
Allée du Mail
Grand Carré
Grande Étoile
Étoile de la Reine
Allée de la Reine
Allée du Rendez-Vous
GRAND TRIANON
Châteauneuf
Allée de la Reine
Allée des Filles d'Honneur
Jardin du Roi
Pépinières le Trèfle
Glacières
Théâtre de la Reine
Salon Frais
Orangerie
Belvédère
Allée du Manège
Porte des Matelots
Allée des Matelots
Embarcadère
PETIT TRIANON
LE HAMEAU
Ferme
Allée d'Apollon
Bassin d'Apollon
Allée Saint-Antoine
Grand Lac
Tour de Marlborough et Laiterie
Petite Venise
Allée d'Apollon
Allée Saint-Antoine
Temple de l'Amour
Moulin
Colombier
Maison de la Reine
Porte Saint-Antoine
Route de Saint-Cyr
Allée du Mail
Jardin du Roi
Bassin de l'Hiver
Colonnade
Bassin du Printemps
Bosquets du Midi
Quinconce du Midi
Quinconce du Nord
Pont du Trianon
Pièce d'eau des Suisses
Bassin de l'Automne
Bosquets du Nord
Petite avenue de Saint-Antoine
Escaliers des Cent-Marches
Bassin de Latone
Bassin de l'Été
Allée du Petit Avenue
Parterres d'eau
Orangerie
Parterre du Midi
Parterre du Nord
Allée d'eau
Boulevard de la Reine
Boulevard Saint-Antoine
CHÂTEAU
Bassin de Neptune
Rue de l'Orangerie
Rue des Réservoirs
O
S
N
E

Une des fontaines des Quatre Saisons. Rêve royal d'une parfaite maîtrise du temps, de la matière et des éléments.

ans plus tôt, en un logement pour Mme de Montespan.

1678. La fin de la guerre de Hollande (1672-1679) marque le début d'une intense campagne de travaux dirigée par Jules Hardouin-Mansart. Le programme iconographique de la galerie des Glaces (elle remplace une terrasse) est confié à Charles Le Brun. Poursuite de la construction de l'escalier des Ambassadeurs. Dans les deux cas : représentation en personne du roi.

1678-1682. Construction de l'aile du Midi.

1679. Création du salon de l'Abondance. Travaux de décoration des Cabinets du roi destinés à recevoir les tableaux des collections royales. Commencement de la construction des Écuries.

1680. Création, par La Quintinie, du potager du roi.

1682. Installation définitive du roi à Versailles. Le château est encore un grand chantier.

1683. La reine Marie-Thérèse d'Autriche meurt le 30 juillet, Colbert le 6 septembre. Le roi épouse secrètement Mme de Maintenon, peut être le 9 octobre. Le chantier de Versailles est relancé par Louvois et le budget des dépenses est considérablement accru.

1682-1683. Achèvement des ailes des Ministres.

1684. La galerie des Glaces est achevée, ainsi que les salons de la Guerre et de la Paix. Des travaux très coûteux sont entrepris pour tenter d'améliorer l'approvisionnement de Versailles en eau (travaux dits « de la rivière d'Eure et de Maintenon »).

1685. Début de la construction de l'aile du Nord du château (elle sera achevée en 1689). Le nombre des ouvriers travaillant sur les chantiers de Versailles est évalué à trente-six mille.

1686. Édification du Jeu de paume. Le château de Marly, dont la construction avait débuté en 1678-1679, est achevé.

Fondation de la maison royale de Saint Louis, à Saint-Cyr, dans le grand parc de Versailles.

La machine de Marly est conçue pour refouler en trois paliers successifs l'eau de la Seine vers l'aqueduc de Louveciennes et approvisionner Versailles en eau.

1687. Jules Hardouin-Mansart élève le Grand Trianon à la place du Trianon de porcelaine.

1689. En raison des difficultés financières aggravées par la guerre de la ligue d'Augsbourg (1688-1697), la vaisselle et les meubles d'argent conçus par Charles Le Brun sont transformés en monnaie.

Le roi rédige la *Manière de montrer les jardins de Versailles*, une promenade qu'il modifiera à six reprises jusqu'en 1705.

1699. La promotion de Jules Hardouin-Mansart à la surintendance des Bâtiments fait remonter le budget des Bâtiments aux dépens de ceux de la Guerre et de la Marine, et l'on voit aussitôt se développer de nombreux projets nouveaux, comme une addition de douze pavillons à Marly, deux gros pavillons à placer entre les encoignures du corps de château de Versailles et les ailes, l'aplanissement de la montagne de Louveciennes qui privait de vue Marly...

Au mois de mars débute la construction de la sixième chapelle (définitive) de Versailles. Elle est bâtie de pierre blanche (de Créteil), à la différence des constructions antérieures, notamment les Grands Appartements, en marbre.

1701. Achèvement de la chambre du Roi, située au centre et au cœur du château.

1710. La chapelle du château, dessinée par Jules Hardouin-Mansart et construite par son beau-frère, Robert de Cotte, est consacrée. Sa conception est celle d'une chapelle palatine disposée sur deux niveaux : le souverain et sa famille assistent aux offices depuis la tribune royale.

1711. Inauguration par François Couperin des grandes orgues à quatre claviers de la chapelle royale.

1715. Mort de Louis XIV. Le Régent, Philippe d'Orléans, décide aussitôt de transférer la cour à Paris. Louis XV quitte Versailles pour Vincennes. Il reviendra à Versailles en 1722.

Bibliographie

Description de Versailles par les contemporains

• Charpentier, *Explication des tableaux de la galerie de Versailles*, 1684.

Cette « explication » est parue l'année de l'achèvement de la galerie des Glaces (1678-1684), ce qui prouve la difficulté de lecture, même pour les contemporains.

• Sieur Combes (Laurent Morelet), *Explication historique de tout ce qu'il y a de remarquable dans la maison royale de Versailles et en celle de Monsieur à Saint-Cloud*, 1681.

Cette « explication » contient en particulier la première description du Grand Appartement de Versailles, qui venait alors d'être achevé.

• Denis (Claude), *Explication de toutes les grottes, rochers et fontaines du Chasteau royal de Versailles, Maison du soleil, et de la Ménagerie*, 1674.

Cette explication en vers, restée manuscrite (BNF, ms Fr. 2348), transmet une atmosphère de magie, d'enchantement et de rêves.

• Félibien (André), *Description sommaire du château de Versailles*, Paris, 1674.

Le texte de Félibien offre de précieuses informations sur le développement des constructions architecturales et des jardins, la dimension des pièces d'eau et la hauteur des terrasses…

• Félibien (André), *les Fêtes à Versailles. Chroniques de 1668 et 1674*. Paris, Éd. Dédale, 1994.

• Félibien (Jean-François, fils d'André), *Description Sommaire de Versailles, ancienne et nouvelle. Avec des figures. Par monsieur Félibien des Avaux, historiographe des Bâtiments du Roy*, 1703.

Il s'agit, malgré le titre, de la description la plus détaillée de Versailles.

• La Fontaine (Jean de), *les Amours de Psyché et de Cupidon*, 1669.

La Fontaine imite Apulée *(les Métamorphoses* ou *l'Âne d'or)*. On y trouve, en particulier, une description des jardins de Versailles, sur le thème du château enchanté.

• Louis XIV, *Manière de montrer les jardins de Versailles*, (6 versions entre 1689 et 1705), Paris, Mercure de France, 1999.

• Monicart (Jean-Baptiste de), *Versailles immortalisé par les merveilles parlantes des Bâtiments, Jardins, Bosquets, Parcs, Statues, Groupes [...]*, Paris, 1720, 2 vol.

Intéressant en raison de ses planches gravées.

• Perrault (Charles), *le Labyrinthe de Versailles* (avec les gravures de S. Le Clerc), 1677.

• Piganiol de La Force (Jean-Aymar), *Nouvelle Description des chasteaux et parcs de Versailles et de Marly, contenant une explication historique de toutes les peintures, tableaux, statues, vases et ornements qui s'y voyent, leurs dimensions et les noms des peintres, des sculpteurs et des graveurs qui les ont faits. Avec les plans de ces deux maisons*, 1701.

• Scudéry (Madeleine de), *Conversations nouvelles sur divers sujets. Dédiées au Roy*, 1684.

Description, entre autres lieux, de la galerie des Glaces.

• Scudéry (Madeleine de), *la Promenade de Versailles*, 1669.

Quatre personnages dialoguent en découvrant le château et le parc de Versailles. Les descriptions les plus précises concernent les jardins : le bassin de Neptune, la grotte, l'orangerie, la ménagerie.

La société de cour à partir du témoignage des contemporains

(liste non exhaustive)

• Beauvillier (Paul, duc de), gouverneur du duc de Bourgogne, ministre d'État, *Pensées intimes du duc de Beauvillier*, publiées par Marcel Langlois, Paris, Plon, 1925.

• Breteuil (baron de), *Mémoires*, édition établie par Évelyne Lever, Paris, Éd. Françoise Bourin,1992.

• Dangeau (Philippe de Courcillon, marquis de), *Journal*, Paris, 1854-1860, 19 vol.

• Hébert (François), curé de Versailles de 1686 à 1704, *Mémoires*, Éd. Georges Girard, dans la Revue de France, 1924.

• La Bruyère (Jean de), *les Caractères*, dans ses *Œuvres complètes*, Gallimard, Bib. de la Pléiade, 1951.

• La Fayette (Marie-Madeleine Pioche de La Vergne, comtesse de), *Mémoires de la cour de France pour les années 1688 et 1689*, Paris, Le Mercure de France, 1982.

• Montpensier (Anne Marie-Louise d'Orléans, duchesse de), *Mémoires, 1627-1686*, publiés par A. Cheruel, Paris, 1866.

• Primi Visconti (Jean-Baptiste), *Mémoires sur la cour de Louis XIV (1673-1681)*, Paris, Librairie Académique Perrin, 1988.

• Princesse Palatine (Charlotte-Élisabeth de Bavière, duchesse d'Orléans, dite la), *Lettres de Madame, duchesse d'Orléans*, Paris, 1981.

• Saint-Maurice (Thomas-François Chabod, marquis de), *Lettres sur la cour de Louis XIV*, Paris, 1911-1912, 2 vol.

• Saint-Simon (Louis de Rouvroy, duc de), *Mémoires*, Paris, Éd. A. de Boislisle, 1879-1928, 41 vol.

• Sandraz de Courtilz, *Annales de la Cour et de Paris pour les années 1697 et 1698*, Amsterdam, 1706.

• Sévigné (Marie de Rabutin-Chantal, marquise de), *Lettres*, Paris, Gallimard, Bib. de la Pléiade, 1972 1978, 3 vol.

• Sourches (Louis-François de Bouchet, marquis de), *Mémoires du marquis de Sourches sur le règne de Louis XIV*, Paris, 1882-1893, 13 vol.

• Spanheim (Ezechiel), *Relations de la cour de France en 1690*, Paris, 1882.

Le Versailles des historiens : le château, la ville, la société de cour

(On trouvera dans la plupart de ces titres une bibliographie plus détaillée)

• Apostolidès (Jean-Marie), *le Roi-Machine. Spectacle et politique au temps de Louis XIV,* Paris, Éd. de Minuit, 1981.

• Archimbaud (Nicolas d') (dir.) *Versailles,* Paris, Éd. du Chêne, 1999.

• Beaussant (Philippe), *Louis XIV artiste,* Paris, Payot, 1999.

• Beaussant (Philippe), *les Plaisirs de Versailles. Théâtre et musique,* Paris, Fayard, 1996.

• Béguin (Katia), *les Princes de Condé. Rebelles, courtisans et mécènes dans la France du Grand Siècle,* Seyssel, Champ Vallon, 1999.

• Bluche (François), dir., *Dictionnaire du Grand Siècle,* Paris, Fayard, 1990.

• Bottineau (Yves), *Versailles miroir des Princes,* Paris, Arthaud, 1989.

• Burke (Peter), *Louis XIV. Les stratégies de la gloire,* Paris, Éd. du Seuil, 1995 [1992].

• *Charles Le Brun (1619-1690), peintre et dessinateur.* Catalogue de l'exposition, Versailles, 1963.

• Constans (Claire), *Versailles, château de la France et orgueil des rois,* Paris, Gallimard, 1989.

• Cornette (Joël), *Chronique du règne de Louis XIV,* Paris, Sedes, 1997.

• Cornette (Joël), *le Roi de Guerre. Essai sur la souveraineté dans la France du Grand Siècle,* Paris, Payot, 1993.

• Cristout (Marie-Françoise), *le Ballet de cour de Louis XIV, 1643-1672,* Paris, Picard, 1967.

• Dauchez (Chantal), *les Jardins de Le Nôtre,* Paris, La Compagnie du Livre, 1991.

• Dessert (Daniel), *Louis XIV prend le pouvoir. Naissance d'un mythe,* Paris, Complexe, 1989.

• Dussieux (L.), *le Château de Versailles. Histoire et description,* Versailles, 1885, 2 vol.

• Elias (Norbert), *la Société de Cour,* Paris, Calmann-Lévy, 1974. Édition originale : *Die hofische Gesellschaft,* Berlin, 1969.

• Francastel (Pierre), *la Sculpture à Versailles. Essai sur les origines et l'évolution du goût français classique*, Paris, Mouton, 1930.

• Fumaroli (Marc), *le Poète et le Roi, Jean de La Fontaine en son siècle,* Paris, Éd. du Fallois, 1997.

• Grell (Chantal), Michel (Christian), *l'École des Princes ou Alexandre disgracié,* Paris, Les Belles Lettres, 1988.

• F. Hamilton Hazelhurst, *Gardens of Illusion : The Genius of André Le Nostre,* Nashville, 1980.

• Himmelfarb (Hélène), « Versailles, fonctions et légendes », dans *les Lieux de la mémoire,* sous la direction de Pierre Nora, Paris, Gallimard, 1986 ; dans le même volume : Pommier (Édouard), « Versailles, l'image du souverain ».

• Jouin (Henri), *Charles Le Brun et les Arts sous Louis XIV. Le Premier Peintre, sa vie, son œuvre, ses écrits, ses contemporains, son influence, d'après le manuscrit de Nivelon et de nombreuses pièces inédites,* Paris, Imprimerie nationale, 1888.

• Lepetit (Bernard), « Une création urbaine : Versailles de 1661 à 1722 », *Revue d'histoire moderne et contemporaine,* 1978, p. 604-618.

• Le Roy Ladurie (Emmanuel), *Saint-Simon ou le système de la cour,* Paris, Fayard, 1997.

• Levron (Jacques), *la Vie quotidienne à la cour de Versailles aux XVIIe et XVIIIe siècles,* Paris, Hachette, 1985.

• Mariage (Thierry), *l'Univers de Le Nostre,* Bruxelles, Pierre Mardaga, 1990.

• Marin (Louis), *le Portrait du roi,* Paris, Éd. de Minuit, 1981.

• Maroteaux (Vincent), *Versailles, le roi et son domaine,* Paris, Picard, 2000.

• Muchembled (Robert), *la Société policée. Politique et politesse en France du XVIe au XVIIe siècle,* Paris, Éd. du Seuil, 1998.

• Néraudau (Jean-Pierre), *l'Olympe du Roi-Soleil ou comment la mythologie et l'Antiquité furent mises au service de l'idéologie monarchique sous Louis XIV à travers la littérature, la peinture, la musique, les fêtes, la sculpture, l'architecture et les jardins, à Vaux-le-Vicomte, Meudon, Saint-Cloud, Sceaux, Marly, Saint-Germain et Versailles,* Paris, Les Belles Lettres, 1986.

• Newton (William R.), *l'Espace du roi. La cour de France au château de Versailles, 1628-1789,* Paris, Fayard, 1999.

• Nolhac (Pierre de), *Histoire du château de Versailles. Versailles sous Louis XIV,* Paris, 1911.

• Réau (Louis), *Histoire de l'expansion de l'art français,* Paris, Éd. H. Laurens, 1924-1931, 4 vol.

• Sabatier (Gérard), *Versailles ou la figure du roi,* Paris, Albin Michel, 1999.

• Saule (Béatrix), *Versailles triomphant, une journée de Louis XIV,* Paris, Flammarion, 1997.

• Solnon (Jean-François), *la Cour de France,* Paris, Fayard, 1987.

• Solnon (Jean-François), *Versailles,* Éd. du Rocher, 1997.

• Tapié (Victor-Lucien), *Baroque et classicisme,* Paris, Plon, 1972.

• Teyssèdre (Bernard), *l'Art au siècle de Louis XIV,* Paris, Julliard, 1967.

• Verlet (Pierre), *le Château de Versailles,* Fayard, 1985.

• Weiss (Allen), *Miroirs de l'infini. Le jardin à la française et la métaphysique au XVIIe siècle,* Paris, Éd. du Seuil, 1992.

Index

Les chiffres en **gras** renvoient aux pages où le sujet est développé.

CRÉDITS PHOTOGRAPHIQUES

Couverture : *Portrait de Louis XIV* œuvre de Hyacinthe Rigaud (1659-1743) RMN/D. Arnaudet/G.Blot – Musée de Versailles et Trianon – Château de Versailles JERRICAN/Marlaud

RMN : p. 6 (hg), p. 6 (m), p. 7 (hm), p. 9 (bm), p. 23 (b), p. 28 (h), p. 34 (b), p. 35 (d), p. 42 (g), p. 43, p. 44 (h), p. 44 (b), p. 45 (h), p. 45 (b), p. 46 (médaillon), p. 49 (h), p. 54 (hg), p. 56 (h), p. 56 (b), p. 60 (h), p. 60 (b), p. 63, pp. 64-65, p. 68 (hg), p. 68 (médaillon), p. 75 (b), p. 78 (médaillon), p. 83 (h), p. 85 (hg), p. 86, p. 87, pp. 88-89, p. 90 (h), p. 90 (b), p. 91, p. 93 (b), p. 96 (g), p. 97 (bg), p. 97 (bd), p. 108 (h), p. 109, p. 112 (h), p. 114 (h), p. 114 (b), p. 117 (hg), p. 118 (h), p. 123 (b), p. 127 (h), p. 129 (h), p. 132 (h), p. 135 (h), p. 142, p. 146 (hg), p. 146 (b), p. 149 (b), p. 150 (h), p. 151 (b), p. 158 (b), p. 162 (h), p. 166 (médaillon), p. 167, p. 175 (h), p. 175 (b), p. 182, p. 196 (bd), pp. 202-203, p. 211. RMN / Gérard Blot : p. 6 (bg), p. 6 (bm), p. 9 (bg) et p. 55 (b), p. 9 (bd) et p. 128 (médaillon), p. 11 (bd) et p. 148 (bg), p. 12 (médaillon), p. 13 (b), p. 19 (h), p. 21 (d), p. 21 (b), pp. 32-33, p. 36 (médaillon), p. 40 (médaillon), p.47 (h), p. 47 (b), p.48 (b), p. 54 (d), p. 58 (b), p. 61, p. 66 (h), p. 66 (b), p. 73 (h), p. 76 (b), p. 77 (h), p. 82 (m), p. 82 (b), p. 92 (hg) p. 92 (b), p. 94 (h), p. 94 (b), p. 95 (h), p. 95 (m), p. 95 (b), p. 97 (bm), p. 99 (bd), p. 100 (g), p. 100 (d), p. 101 (h), p. 101 (md), p. 101 (bd), p. 103 (h), p. 107, p. 108 (bg), p. 108 (bd), p. 112 (b), p. 113 (h), p. 113 (b), p. 115 (h), p. 116 (hg), pp. 120-121, p. 123 (h), p. 124 (h), p. 124 (b), p. 125 (d), p. 125 (b), p. 132 (b), p. 134 (b), p. 138 (médaillon), p. 140 (médaillon), p. 143 (hd), p. 152 (b), p. 153 (h), p. 160 (bg), p. 163, pp. 164-165, p. 168 (h), p. 170 (hg), p. 171 (h), p. 171 (md), p. 188 (b), p. 189, p. 193 (hg), p. 195 (h), p. 197, p. 210. RMN / D. Arnaudet / G.B. : p. 6 (bd), p. 7 (md) et p. 126 (médaillon), p. 11 (hd) et p. 157 (b), p. 35 (h), p. 41, p. 70 (hg), p. 143 (hg), p. 183. RMN / G. Blot / C. Jean : p. 7 (bd) et p. 127 (b), p. 11 (bg), p. 29, p. 105 (b), p. 168 (b), p. 192 (b). RMN / H. Lewandowski : p. 8 (mg), p. 9 (md), p. 19 (d), p. 23 (h), p. 25 (h), p. 59 , p. 79, p. 84 (bd), p. 103 (b), p. 169 (h). RMN / Arnaudet / H. Lewandowski : p. 11 (hg), p. 76 (d), p. 84 (bg), p. 125 (h). RMN / Jean Schormans : p. 11 (hm), p. 22 (h). RMN / J.-G. Berizzi : p. 19 (b), p. 36 (h), p. 96 (b), p. 106 (b), p. 159, p. 188 (médaillon). RMN / Arnaudet : p. 22 (b), p. 26 (h), p. 62 (b), p. 72 (médaillon), p. 98 (hd), p. 98 (mg), p. 102, p. 123 (d), p. 139 (h). RMN / Popovitch : p. 24 (h), p. 26 (b), p. 126 (b), p. 179 (h). RMN / R.G. Ojeda : p. 24 (b). RMN / Jean / Schormans : p. 25 (b), p. 169 (b). RMN / C. Jean / H. Lewandowski : p. 28 (b). RMN / Arnaudet / Schormans : p. 37 (b), p. 166 (b). RMN / El Meliani : p. 48 (h), p. 137 (g), p. 137 (m), p. 137 (d). RMN / J. Derenne : p. 67 (h), p. 70 (b). RMN / Polidori : p. 81, p. 85 (hd). RMN / Blot / Lewandowski : p. 92 (hd), p. 93 (h). RMN / Mercator : p. 105 (b). RMN / T. Ollivier : p. 106 (médaillon), p. 106 (md). RMN / P. Bernard : p. 133 (hg). RMN / Jean : p. 143 (bd), p. 151 (hd), p. 172. RMN / Bellot p. 34 (h). RMN / Arnaudet / Jean : p. 74 (h).

Giraudon : p. 7 (hd), p. 7 (bg), p. 8 (bm), p. 8 (bd), p. 10 (h), p. 10 (bm), p. 18 (h), p. 30 (h), p. 71, p. 78 (b), p. 85 (b), p. 97 (h), p. 98 (b), p. 99 (m), p. 116 (b), p. 117 (hd), p. 119 (h), p. 119 (bd), p. 134 (h), p. 135 (b), p. 138 (b), p. 139 (m), p. 140 (b), p. 143 (bg), p. 146 (hd), p. 147 (b), p. 160 (h), p. 160 (bd), p. 161 (b), p. 162 (b), p. 170 (hd), p. 173 (b), p. 174 (h), p. 179 (b), p. 180, p. 181 (h), p. 181 (m), p. 187, p. 190 (b), p. 194 (bg), p. 196 (médaillon g), p. 198, p. 199, p. 208.

Lauros-Giraudon : p. 7 (hg), p. 10 (m), p. 10 (bg), p. 11 (md), p. 30 (bd), p. 31 (h), p. 34 (m), p. 55 (médaillon), p. 57 (b), p. 72 (hg), p. 72 (b), p. 99 (g), p. 99 (hd), p. 104 (médaillon), p. 119 (g), p. 136 (h), p. 136 (b), p. 144 (b), p. 147 (h), p. 147 (m), p. 148 (h), p. 148 (bd), p. 149 (h), p. 157 (médaillon), p. 161 (h), p. 161 (m), p. 170 (b), p. 178 (médaillon), p. 181 (b), p. 184 (hg), p. 184 (b), p. 185, p. 186, p. 190 (h), p. 192 (médaillon), p. 194 (médaillon), p. 201, p. 207.

Flammarion-Giraudon : pp. 16-17, p. 40 (h), p. 57 (h), p. 80, p. 104 (b), pp. 130-131, p. 156 (médaillon), p. 158 (médaillon), p. 173 (médaillon).

Alinari-Giraudon : p. 20, p. 31 (b).

Pix : p. 141. Michel Dusart : p. 40 (b), p. 68 (b), p. 70 (hd), p. 207 (h), p. 216. Alain Téoulé : p. 42 (b), p. 67 (b), p. 101 (bg), p. 118 (b). Pyszel Czeslaw : p. 46 (b). Michel Beaugeois : pp. 52-53, p. 75 (hg), p. 75 (hd), p. 76 (hg), p. 97 (m), p. 98 (hg), p. 128 (b), p. 133 (hd), p. 133 (b), p. 151 (hg), p. 153 (b), pp. 176-177. Wilander : p. 58 (h), p. 74 (médaillon). Pix 06 : p. 73 (b), p. 77 (d). Nono : p. 74 (b). S.A. : p. 77 (bg). Jean-Pierre Abrial : p. 77 (bd). Pierre Miriski : p. 83 (b), p. 191 (h). Perrin : pp.154-155. JSR : p. 188 (mg). Étienne Revault : p. 204, p. 207 (b). J. Hicks : p. 205. V.C.L. : p. 206 (h). W. Bibikow : p. 206 (mg). J. Bénazet : p. 206 (b).

Matthieu Prier : pp. 4-5, p. 12 (b), p. 13 (h), p. 13 (d), p. 14 (h), p. 14 (b), p. 15, p. 21 (h), p. 35 (b), p. 36 (b), p. 37 (h), pp. 38-39, p. 42 (h), p. 69, p. 82 (h), p. 98 (md), p. 150 (b).

D. Silberstein : pp. 110-111, p. 115 (b), p. 122 (médaillon), p. 152 (h).

Collection particulière : p. 18 (b), p. 27, p. 49 (b), p. 50 (h), p. 50 (b), p. 51, p. 54 (b), p. 62 (h), p. 84 (h), p. 96 (médaillon), p. 122 (b), p. 129 (b), p. 139 (b), p. 144 (h), p. 145, p. 171 (bg), p. 174 (b), p. 193 (hd), p. 193 (b), p. 195 (b), p. 200.